文學叢刊

陳福成編

典藏斷滅的文明

——最後一代書寫身影的告別紀念

文史哲出版社印行

國家圖書館出版品預行編目資料

典藏斷滅的文明：最後一代書寫身影的告別
紀念 / 陳福成編 . --初版 --臺北市：
文史哲，民 105.08
頁； 公分（文學叢刊；367）
ISBN 978-986-314-316-1（平裝）

830.86　　　　　　105014521

文學叢刊 367

典藏斷滅的文明

— 最後一代書寫身影的告別紀念

編　者：陳福成
出版者：文史哲出版社
http:// www.lapen.com.tw
e-mail：lapen@ms74.hinet.net
登記證字號：行政院新聞局版臺業字五三三七號
發行人：彭正雄
發行所：文史哲出版社
印刷者：文史哲出版社
臺北市羅斯福路一段七十二巷四號
郵政劃撥帳號：一六一八〇一七五
電話886-2-23511028・傳真886-2-23965656

定價新臺幣四五〇元

二〇一六年（民一〇五）八月初版

ISBN 978-986-314-316-1　　09367

序：倉頡、蒙恬等老祖哭泣吧！

以後無人能提筆寫字了！

倉頡造的字，我們中國人寫了五千年；蒙恬發明了筆，是要我們用手提筆寫字，幾千年來，文人提筆書寫，人與人書信往來，從字裡行間，就能感受到對方書寫的身影。然而，未來，絕後了，人們不再拿筆寫字了！我們為這斷滅的文明，舉行告別式吧！

傳統書寫的身影，從書寫者的筆跡、筆法、筆力、筆鋒，可以感受到他的性格、人品或誠意。進而，有筆走龍蛇、筆底生花、筆耕墨耒的意境。筆，是騙不了人的，然而，未來，絕後了，大家瘋新文明，卻不認識新文明，因為新文明並不文明，新文明會騙人的。

近幾年來，開始有一些文化單位也感受到傳統書寫文明在快速斷滅中，企圖做一些「搶救」（典藏），收藏這一代和老一輩作家（或寫手）手稿。於是，中央圖書館和台大總圖書館，至少分別典藏筆者三百萬字以上手稿。在祖國大陸，廈門大學、北京師大、河南大學、山東大學，也典藏我很多作品手稿。另外，民間出版社、雜誌社、詩人作家等，也有零星的手稿出版。

筆者對搶救（保存）斷滅的文明亦有使命感，近幾年分別出版的「手稿書」有：《為中華民族的生存發展進百疏書：孫大公的思想主張書函手稿》、《把腳印典藏在雲端：三月詩會詩人手稿詩》、《留住末代書寫的身影：三月詩會詩人往來書簡存集》、《那些年，我們是這樣寫情書的》、《那些年，我們是這樣談戀愛的》、《最後一代書寫的身影：陳福成往來殘簡殘存集》。這些文本，有各種不同形式的作品，唯一相同是各家寫手親自提筆書寫的手稿，典藏在圖書館，給未來的人類看看，他們的老祖宗在沒有電腦的年代如何傳揚文化文明。

幾千年的書寫文明斷滅了，我為保存「斷滅的身影」再出版本書。但最傷心的，一定是倉頡和蒙恬吧！想哭就放聲大哭吧！今後無人能提筆寫字了，我們以真誠的心，為即將斷滅的文明舉行告別式。

安息吧！最後一代書寫的身影，斷滅的文明，再以本書出版為紀念，永懷末代書寫的身影。（台北公館蟾蜍山萬盛草堂主人　陳福成　誌於二〇一六年六月吉日）

典藏斷滅的文明

——最後一代書寫身影的告別紀念

目次

第一章

最後書寫的身影

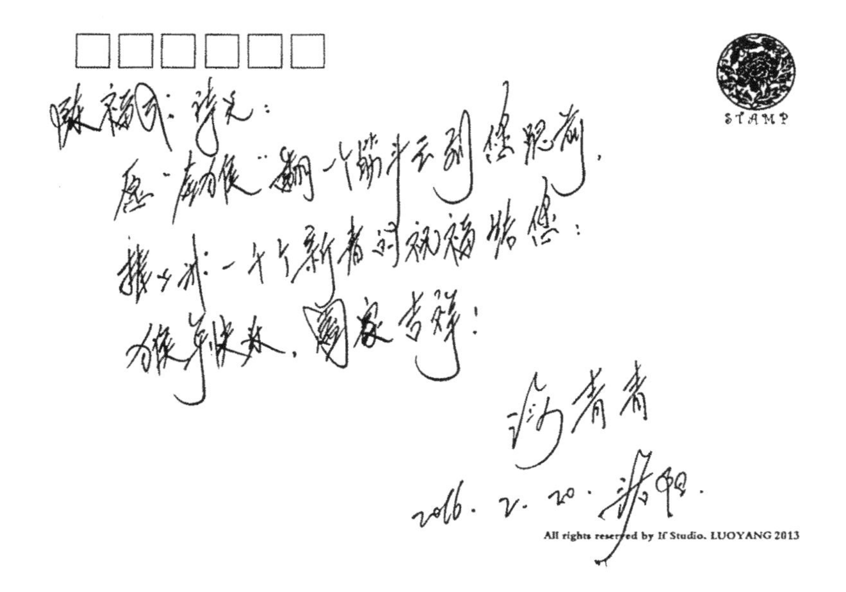
陳福成詩友：

猴年快樂，闔家吉祥！

2016.2.20.

STAMP

小女啟璇的歸寧宴，於十二月十三日在台北市故宮晶華酒店舉行，參與親朋好友聖徒三百多人，非常熱鬧。您因故不能光臨指導，是我們的損失了，不過，您的厚禮增加了光彩，十分謝謝。陳上喜餅乙盒，聊表謝意，敬請笑納。

敬祝

康壯有活力

愚金筑
謝炯
江樹鑾敬謝
二〇一四、十二、十七日

陳先生：

謝謝寄來的賀卡。

我已在 East Asian Institute
National University of Singapore
Singapore 119260

fax 65-779-3409
eaiyup@nus.edu.sg

工作了。

張佐瑜將軍可能還在中大服務。那本書尚未出版，可能在明年3月吧？當我找到 publisher。至于我的 co-author, Martin Lasater 說會找一家出版商。我已再度提醒 Lasater 要把閣下大名放在你所寫的那篇文章內。

保持連絡。

俞劍鴻
Peter Kien-hong YU

P.S. 去年9月我的"Talking Taiwan"已在 Jane's Intelligence Review (U.K.) 發表。今年3月，"The TW strait"也會在同一刊物發表。

陈福成君：

　　您好！忙的很吧！

　　去年所赠书籍，知已带回，甚感致谢！现在《孟子精华》已经打印出来。今托刘焦智君转寄您词二集各一本，合为《四书精华》全套。另外，再给您邮寄《四书精华》一套，以备后用。请收受！

　　顺致

敬意！

　　并祝

全家幸福！

杨天太

二〇一一年六月二十六日，即辛卯年5.25

福成先生雅鑒：

承蒙您寄來「日本問題」及手札，我連夜看完，在您奇椽大筆下，深受感動，您是：「慎思詳研，剖析深刻，見解高超，立論正確，高瞻遠矚，深謀遠慮，疾風高呼，警惕國人，國族命脈，卓識超群高風亮節，彌深欽佩……」。

孫大公兄是我同期最敬佩的學長，他常提到您學識淵博，才筆著作……等，我是心儀已久，再看到您爲大公兄策劃，編排的三本書，更是欽佩有嘉，尤感您的拳拳忠心，誠義氣，再看到您的許多大作目錄，我爲您寫下：「宏論縱橫，昭日月，聲名洋溢遍江湖」，雖不太完全貼切，但，是我心儀已久的心聲。

欣聞本書大作在大陸流傳已久，但願也能流傳更廣，好書大家看，也共同欣賞。未得您允許，我昨晚看完，今早就付郵寄給加拿大27期劉超操學長，他當過大將副軍長，是極端愛國的將領，也是忠厚睿智的長者，您不會反對吧！我再次敬佩您「愛時謀國」之忱，和「愛國濟世」的用心，祈有更多大作面世，造福世人，專此再謝，祝您健康快樂。

弟 國峰 鞠躬

二月六日

福成學棣雅鑒：

「三黨搞統一」大著已收到，我今天才看完讀過，心中最想說的是「謝！」與「好！」。無論是論點，觀點都直指要害，切中七寸。從搜集資料之翔實，剖析之深刻，到引領正確廣泛征程，到警惕國人，無不是用心良苦。縱是好人著述，都是慮關國族生死存亡之大道，是國家民族的「大事業和非常事業」。讓已入歧途之獨人士，在閱讀了此書後，迷途中回頭棒喝，清醒認識古人勝馬的先驗觀念。

我佩服您克承優良國家民族情懷，胸懷憂國憂時的高士；更欽佩您志士籌謀的豪情，也慶幸華夏兒女中仍有「國士」如您者的欣慰。故國難頻多風雨，幸有衆多志士賢士們，我深盼更多效學您「浮劍天下」，推進統一勝利的偉論，論述事，而後方為有救，中國有救。謝謝人，再謝！

並祝

健康快樂。

◎我再看完第三遍後，特寫短信以謝林文友的大作與書大家……四月十二日秋成同志：承頒大作，無任欽佩。

惟有數點，請再斟酌更正：

一、高、曾、祖、考、己身、子、孫、曾、玄，乃屬九世系，書中數處曾、曾，應為高、曾。

二、「尊重典〈傳〉守」多字排錯。請注意。

三、〈大學董事長王保璞，為材往前進〉，為維董事長王保璞為材往前進，為維董事長

敢擬手跡保存，請其留意為本校另一中堅份子，請

林秋成自傳。　王董雅致為盼！　此請

秋祺

錢穆拜啟

中国《诗海》诗刊编辑部

陈社长：如晤。

昨日有人提醒我：用台湾刊号在大陆出刊物是不允许的。

我想：真的是这个政策，怕也是以前定的；根据两岸现实的形势，只要发挥您的能量，寄给北京中宣部刘云山两本已出的《华夏春秋》，让他给批示雅鉴几个字或送给台湾文化外交人员与北京主管文化人员进行对话讨一个说法也可。以防我们地方按老政策执行！

总之，您想个办法，一定要保住我们的刊物！

地址：辽宁省葫芦岛市绥中 118 信箱　邮编：125299
电话：0429-3657052　15898271473

特嘱　金土

2014.9.21

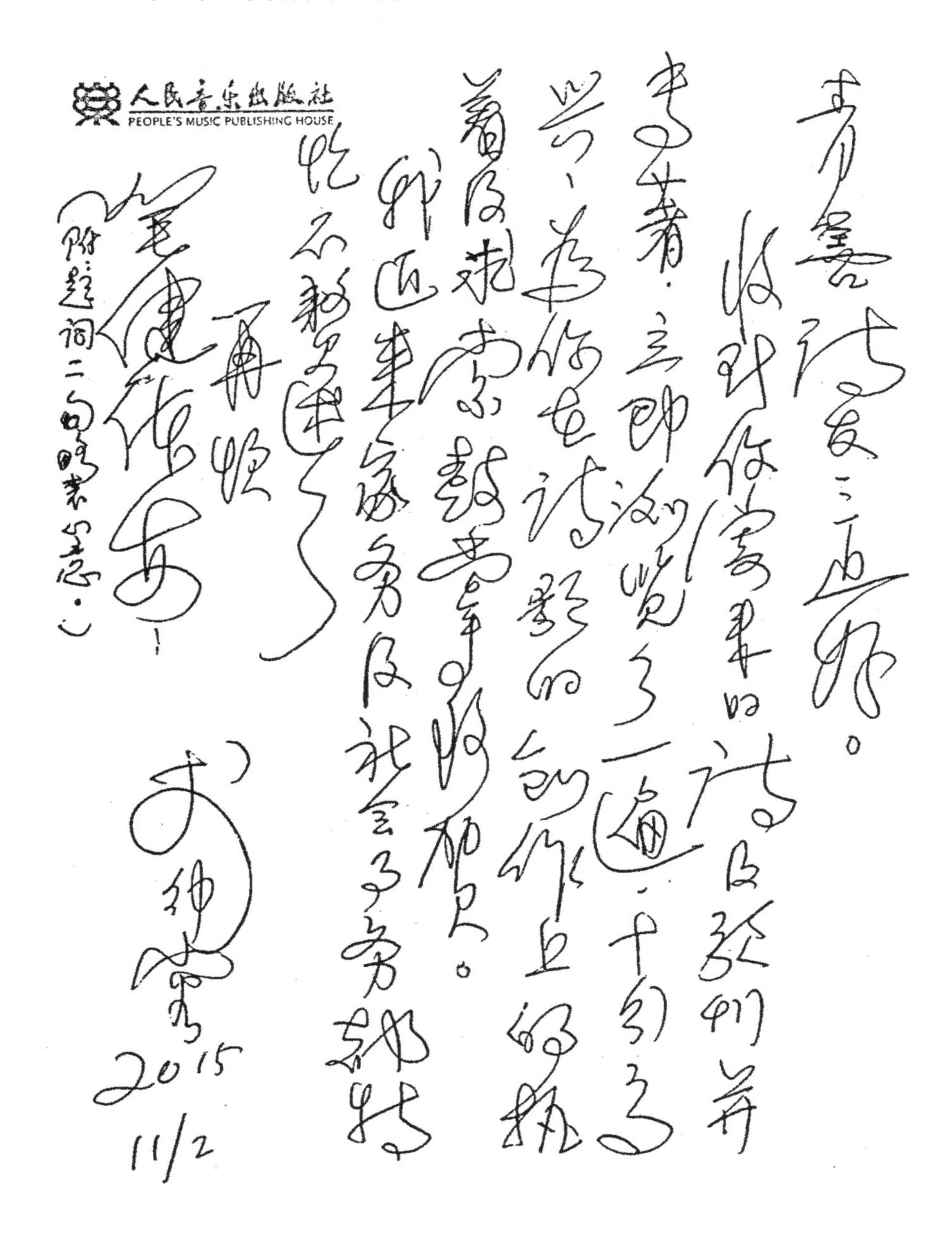

人民音乐出版社
PEOPLE'S MUSIC PUBLISHING HOUSE

芳善：诗及二函收悉。

收到你寄来的诗及[illegible]并书著：立即浏览了一遍，十分高兴，为你在诗歌的创作上的拓展及成就感到鼓舞与佩服。

我近来家务及社会事务纷忙，不能多写了，

再叙

祝笔健作安！

（附题词二句略表心意。）

[illegible]
2015
11/2

陈福成诗兄：

您好！

2016年2月29日《洛阳晚报》刊登了我诗歌创作的相关情况，现寄去一份，望喜欢！

春节前，《洛阳晚报》记者程芳先生看到了您的大著《海青青的天空》，特别惊讶和激动，认为洛阳诗人的作品能在台湾成书出版，意义非常重大，决定同我谈书对我进行采访。不知什么原因，采访没有刊出。春节后，另一位记者杨文静再次采访我，写了《诗以诗友 在书香里品诗》这篇报道，文中提及了您的相关情况。读此文，我心中感慨万千。

《海青青的天空》一书在内地面世后，诗友们纷纷以电话、短信、书信、书法等形式，表达了对该书的关注和惊喜之情，令人动容！现寄去著名词作家李鸿岩先生的来信及题词复印件各一份，可知一二！

送上一个大写的祝福！

海青青

2016年3月1日 洛阳 白鹤书院

TANGDU

洛阳牡丹别样红
诗国园丁海青青

喜读有关《牡丹园》诗人海青青的诗评文集有感，并即兴题贺！

李纳容
二〇一五年十一月二日于北京

陈福成诗友：

您好！

《牡丹园》诗第47期、48期和《大中原散文》诗第6期已出版，现各寄一份，望喜欢！

您的大著《海青青的天空》，我已陆续寄往海内外的诗友，老中青少各年龄段的，东西南北中各地域的。我也陆续收到大量的书信、电话、题词等，并在《牡丹园》诗第48期上，刊登了一些。我会陆续关注这些动态，也会及时在《牡丹园》上刊登。请放心！

由于前段时间，家事繁多，已于2015年12月出版的《牡丹园》诗第47期现在才和诗第48期一并寄出，请原谅！

您有新作，请寄来，好吗？

再一次谢谢您对我们的支持与厚爱！

另外，由于洛阳市作家协会以及洛阳的诗友们获知您在台湾出版了《海青青的天空》，我也因此有幸参加了两项活动：

一、被洛阳市新闻广播FM88.1《河洛作家》访谈栏目。《牡丹园》诗第47期上有报道，请参考。

二、接受《洛阳晚报》记者采访。采访新闻何时出版，另行通知。

祝身体健康快乐！

海青青

2016年3月21日 洛阳 白[illegible]

TANGDU

親愛的父親，

我們都有各自困難的時刻，唯有對自己有信心，對我們家有信心，才能克服困難。善果惡果乃一念之間，需要三思再三思，很多時候，轉念便有新境界，而執念令議彼此都受傷，解鈴人仍是繫鈴人，希望我們大家可以一起努力克服。

P.S. 也要把自己照顧好。

your Son,
牧宏
sincerely.

Springer

福成詩弟：

寄上『秋水』同仁寫來的信，及我回他的信，讓你知道，你對『秋水』的掌門人除了詩等措詞之外，要做的事，實在太多了，這是我編『秋水』33年來第一位寫這樣的信給我的人，我很寒心，幫這他詰問『秋水』。我的信有『伏筆』聰明的話應看懂。感謝你的幫助，但請到此為止，我怕有負擔的，心靈上的負擔。

一千個謝謝

涂靜怡
2006年10月26日

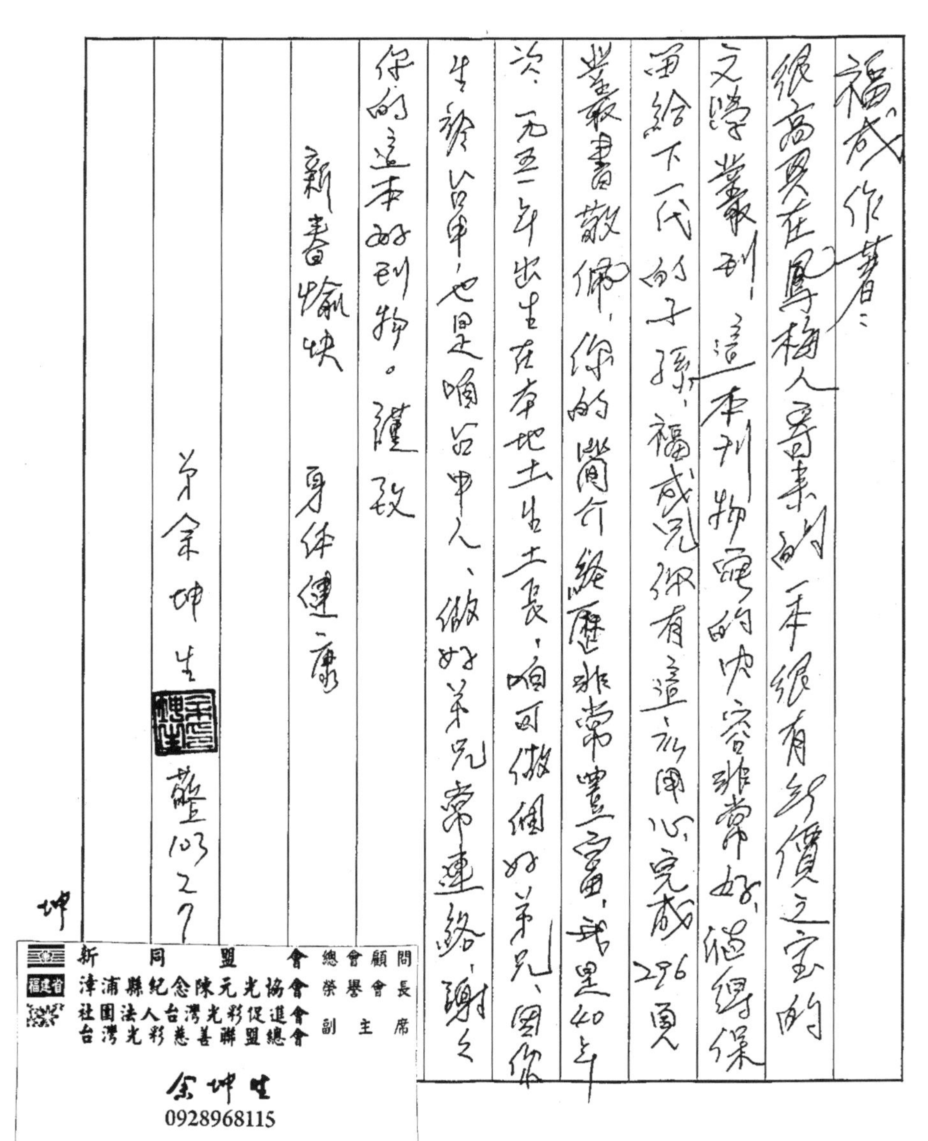

福成作者：

很高興在鳳梅人寄來的一本很有紀價之寶的文學叢刊，這本刊物的內容非常好，値得保留給下一代的子孫，福成兄你有這樣用心完成296頁叢書敬佩，你的簡介經歷非常豐富，我是40年次，一九五二年出生在本地土生土長，咱可做個好兄弟，因你生於台中，也是咱台中人，做好兄弟常連絡，謝謝你的這本好刊物。謹致

新書愉快　身体健康

弟余坤生　敬上　103.2.7

新同盟會　總會顧問
漳浦縣紀念陳元光協會　榮譽會長
社團法人台灣光彩促進會
台灣光彩慈善聯盟總會　副主席

余坤生
0928968115

地址：434台中市龍井區福田里茄投路福頭崙巷2號
電話：(04)26392038　傳真：(04)26308191

福兆社長理事長大鑒：

校慶即到，共賀母校九十一週年華誕。兩岸同學攜手傳承黃埔精神，共同致力中華民族偉大復興。

來信及《廿二期同學會季刊》都收到了。

《季刊》確是我最珍愛之物，見到《季刊》心受感動，知我者，同學福兆君也。

《季刊》是我們同期學長王雲琳主編。自從他任廿二期同學會總幹事以來熱心兩岸同學的聯誼。廿二期同學雖分居兩岸，仍如在校時的感情親密無間。所編的《季刊》每期都給大陸同學寄一部分，且每期都提前寄到。《季刊》是我最喜愛的珍品，因為都是我們身經的歷史往事，懷往念舊的情感及文章的可讀性，每收到《季刊》後如饑似渴地一口氣讀完，然後對精篇佳作再細細品讀。《90期季刊》雖然我已經有了。但寄來的這份仍然珍貴且大有用場。一、對其中佳作如"談唱歌""兆都飯店的招牌"再品讀享受一番。二、在津的22期同學還有人渴望得到，正好借花獻佛送給秦同南兄，在此向您致謝。

天氣漸熱 請多保重 敬祝

夏安

王朝亮 敬上

2015年6月7日

福水社長大鑒

在乙未年新年之際，敬祝 吉祥安康 闔家幸福。

在去年春來訪時相識，深感親切榮幸。我們同出一座校門 親愛精誠的校訓使我們聯系在一起 使我們一見如故。您學術研究事業有成 著作等身 令人敬佩。

大作《中國全民民主統一會 北京 天津行》已拜讀，記述真實全面深入 文字通暢 妙筆生花，讀後收益頗深，實為紀實文學的名篇佳作，尤其能書驚人之快 令人敬佩。

大作已於2014年8月初已寄到同學會，但因年老体弱，身体不適很少到同學會行動，書到手時已是9月份 当時健康不佳 手臂顫抖，動筆困難 未能及時奉信致謝 敬請鑒諒。

期望今年組團來津參訪時相見 並真誠歡迎 校友相會。

敬祝

新年歡樂 闔家幸福

校友 王朝亮 敬上

2014年2月11日

【恭賀新禧】
Merry Christmas & Happy New Year.

福弘先生

敬贺

新年快樂　闔家幸福

校友
王朝亮 敬上

2014年2月11日

（編者註：王朝亮是黃埔22期）.

诗人王学忠稿纸

电子信箱：wha5318@sina.com　　QQ：2293288553

福明兄：

您好！

又是好久没联系了，甚念！

我又刚出版了两本小书，书已于3月11日寄出，想必已收到了吧。我们这儿邮局为了增加收入，不让书中夹信，信只好另寄。曾想发封电子邮件，看来觉得还是用笔书写吧。

最近出版的两本小书《我知道风儿朝哪个方向吹·诗歌卷》和《散文·文论卷》，都是近年来写的，写的是心底的声音。在《散文·文论卷》里我收入了写您的那篇。是的，至今想，大陆像咱们两个一样谈诗说心、思想接近的人很少，多数是面对个人富贵地一种[illegible]。

民歌诗和文学须直面现实，诗歌的发展[illegible]，诗人作家要毫无顾忌地用真情说话，代人民发言。这些年来，我一直[illegible]努力这样做。

《诗歌卷》的诗歌，我依然采取以前的"民间运动的号角"（[illegible]之公说）针对当下发生

诗人王学忠稿纸

电子信箱：wha5318@sina.com QQ：2293288553

的事件，持之以恒。使其有定以，祈望再能之傳播。給予鼓勵、指導，與之攜筆。

遥祝

文祺

[illegible]

2015.3.18 敬上

地址：中国·河南省安阳市启卫街6号 电话：0372-5965106 13193539990

清远日报

尊敬的陈老师：

您好！

收到了，寄赠读您写王先生的书著，得知您是我身边的文学大家，不禁成随手小书以求教，请教与交流，不胜感激！

祝您和您家人身体好，阖家！

此致

敬礼

2015.9.中收到

唐德亮

尊敬的陳社務委員：

您好。感謝您長期以來對於《遠望》的支持，我們的雜誌才能維繫到今天。迎接充滿希望與挑戰的 2016 年之際，容我代表《遠望》雜誌社，向您致上誠摯的敬意與謝意。

去年 9 月，承蒙劉發行人、廖社長以及各位社委的信任，把《遠望》交給我和我的團隊。去年 10 月、11 月、12 月號及今年 1 月號的雜誌諒必已經寄達各位手上，我們在編務、行政上面仍在摸索、改進。各位如有任何高見，請不吝指教。

雜誌經營極爲不易，各位先進的體認必定比我還深。《遠望》目前每期仍呈虧損狀態，訂閱戶約兩百多，贈閱戶約八百。我們在 2016 年的新目標，希望能夠擴增訂閱戶，盼能勉強達到收支平衡，讓《遠望》能夠永續經營。

除了擴增新訂戶之外，各位社委的捐款更是我們的大旱雲霓。期盼各位一本以往對於《遠望》的愛護，繼續給予支持。捐款請匯陳威佑郵政劃撥：50230070。（文末附有前任秘書羅國雲女士移交給我的捐款明細，請各位核對。）

根據以往慣例，今年三月《遠望》將召開社務委員會議，屆時敬請各位撥冗出席。大家除了齊聚一堂敘舊之外，也給《遠望》提供建言與方向。

謹此敬祝各位前輩在新的一年

身體健康，精神愉快

《遠望》雜誌社社長林金源敬上

2016 年 1 月 2 日

福成先生道鑒：

薰風乍拂，化日方長，敬維
文祉增綏，為學發軔為頌，渥蒙
賜贈「我所知道的孫大公」著作乙書，隆情盛意，感
篆良殷！
賢棣才華藝世，文采繽紛，長年以來潛心著作，作品
廣涉軍事、領導管理、小說、翻譯及現代詩等六十餘
冊，誠謂「軍人作家」，當之無愧！本書詳述
大公老師允文允武，無私無我之一生行誼，身在海外，
仍心繫國是，強烈國家民族情操，堪為革命軍人忠貞
典範。所贈鉅作，當珍藏拜讀，特虔函馳謝！

適值國防事務變革之際，敬祈
時賜箴言，俾資借重，不勝企禱！耑此　順頌
近安

高華柱　敬啟

一〇〇年五月六日

華柱用箋

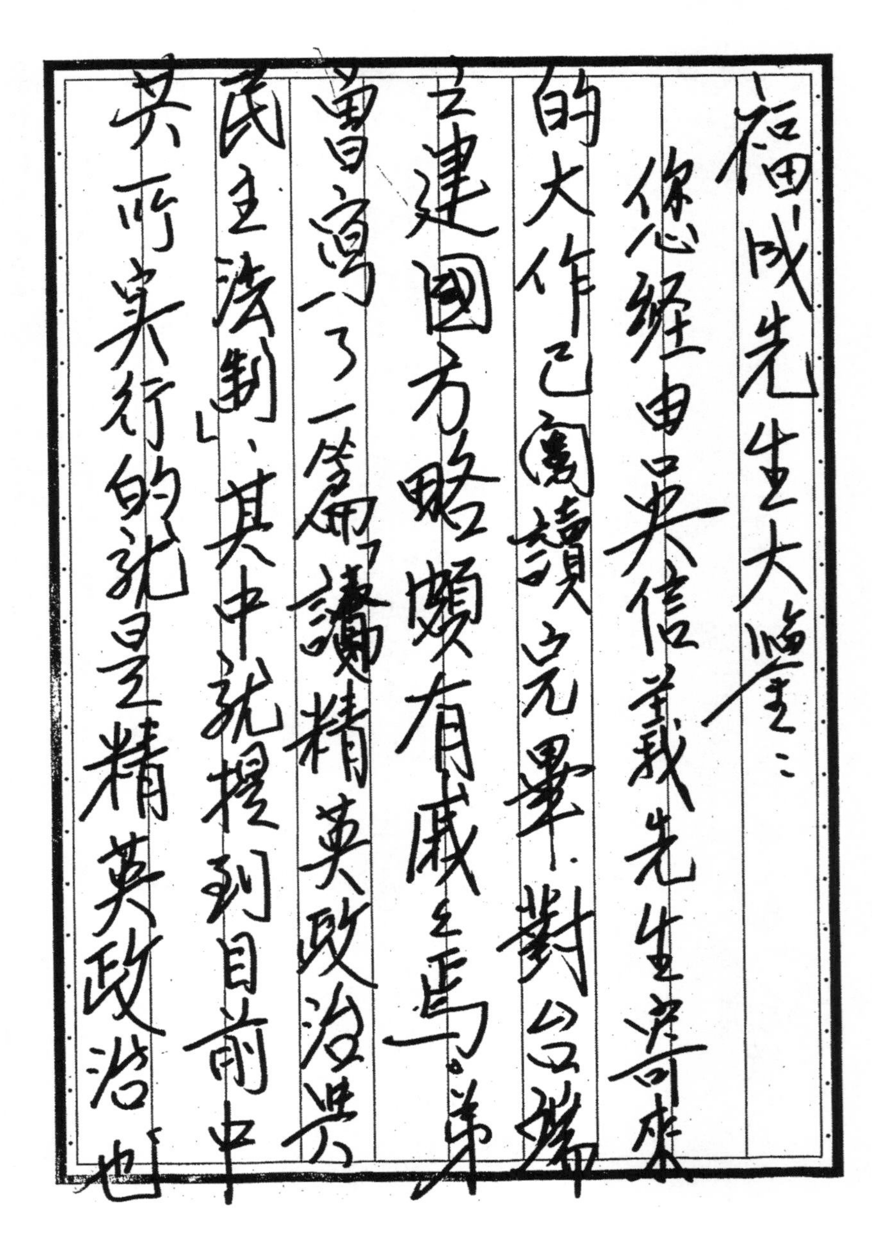

福成先生大鑒：
您經由吳信義先生寄來的大作已閱讀完畢，對台獨之建國方略頗有感焉。弟曾寫了一篇〈論精英政治與民主法制〉，其中就提到目前中共所實行的就是精英政治也

曾幾過江澤民做主席時除
軍方代表一人外，其他中央委員
有六人，其中至少李鵬、李瑞環
朱鎔基並非江之人馬，所以說
中共只能說是集體領導
而非一言堂。最近因為總統
選舉又近，我又寫了一篇論總
統制、內閣制、雙首長制選舉

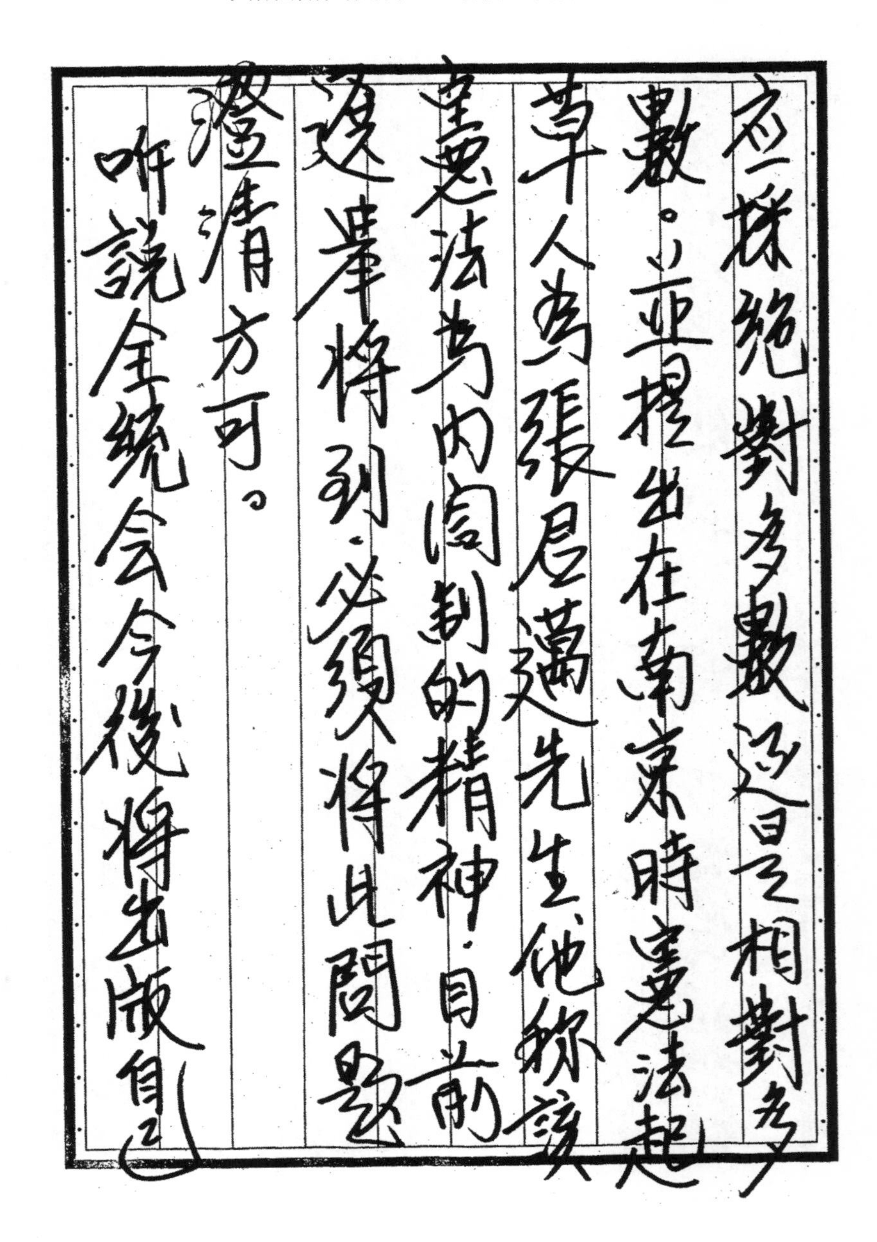
应採絕對多數，這已相對多
數。並提出在南京時憲法起
草人為張君勱先生，他稱該
憲法為內閣制的精神，目前
總選舉將到，必須將此問題
澄清方可。
听說全統会今後將出版自己

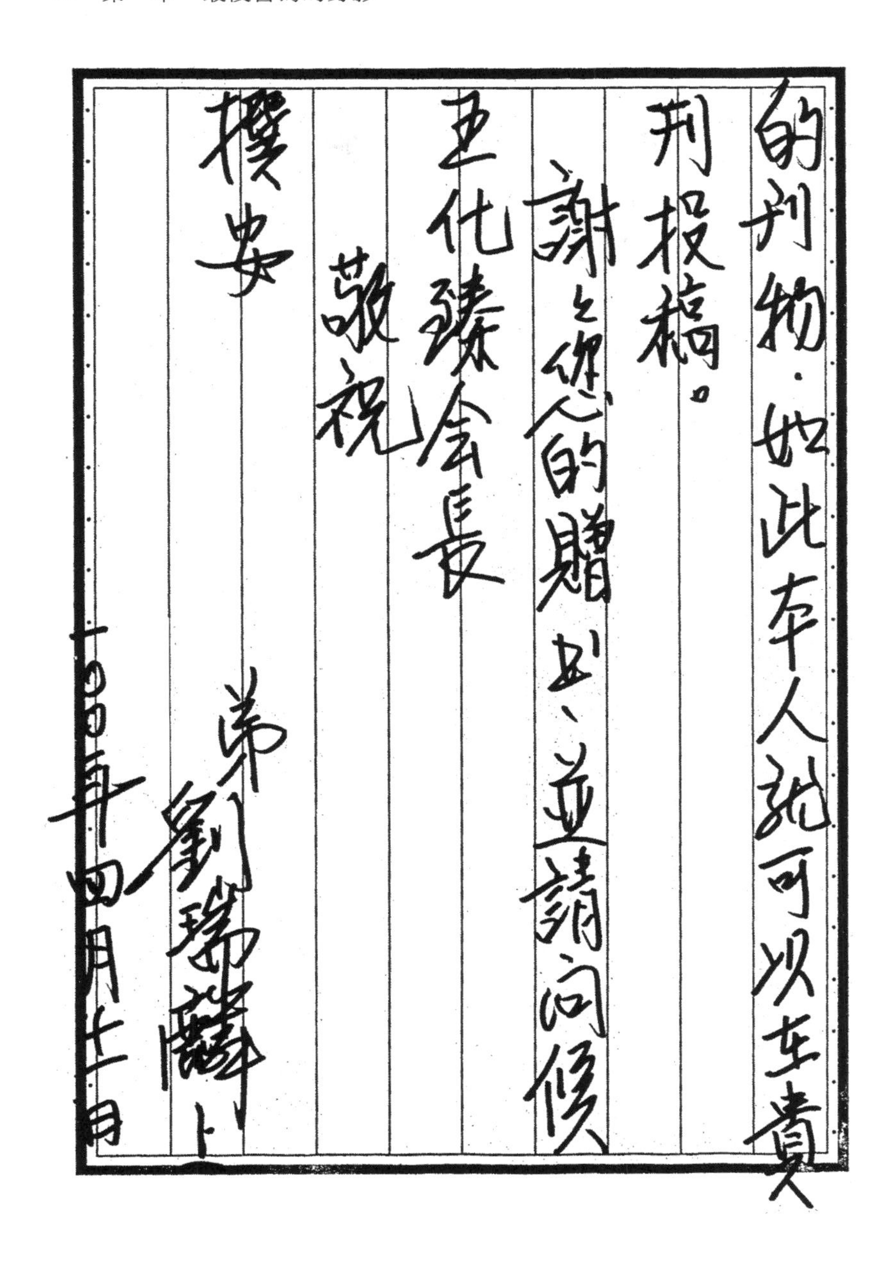

的刊物．如此本人就可以在貴

刊投稿。

謝謝您的贈書、並請問候

王化臻會長

敬祝

撰安

弟 劉瑞麟 上

一〇〇年四月十一日

陳大哥好！

1、電話打到時去查問，謝謝！

2、貴社出版中國字系列，真正有大家覺思想！

3、你的中國字，是何出神入化？

4、我也研究中華、中南傳、曲藝！？

5、是非、報紙、中國歷史大發明！

6、有機會，貴社出新版，可能要一聊，許諾不偈！

7、我正在整理書籍研究中華書，共有400本（線裝書）！

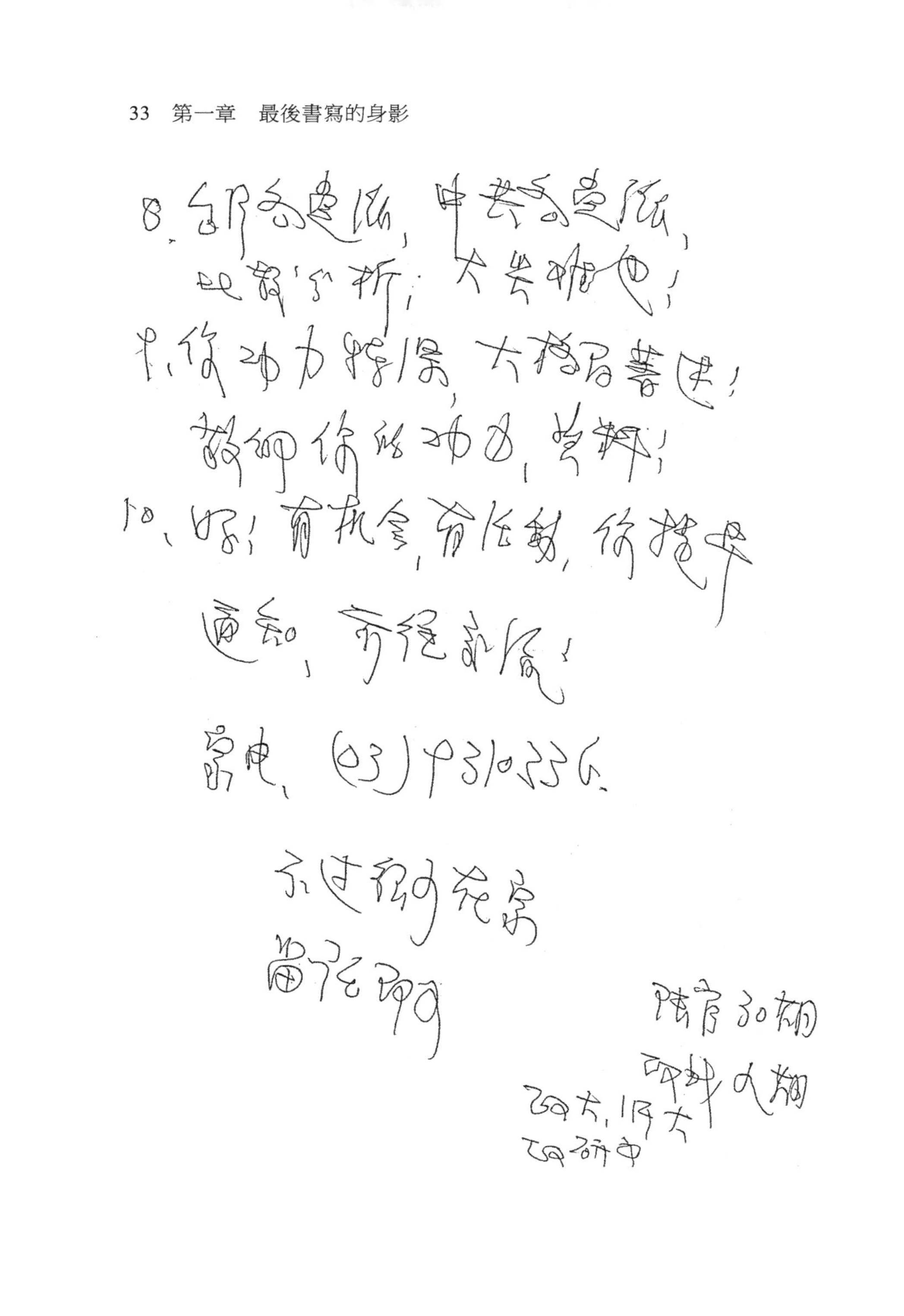

8、[illegible]，[illegible]，

[illegible]；[illegible]；

9、[illegible]，[illegible]！

[illegible]，[illegible]；

10、好！有機會，有活動，[illegible]

通知，[illegible]；

家電：(03) [illegible]

[illegible]

[illegible]

[illegible]

[illegible]

104.1.17

104 [illegible]

給大陸幾家雜誌社的主編

我所有寫未給二位的著作，不論出版、未出版，全無條件供二位，隨时在你們的刊物上刊用，不論如何转刊、摘用均可。畢竟，我們都為中華文化、為吾國之崛起、為未來統一盡一份心力。再者，我目前供稿給六個刊物使用，無时針對一個刊物臨时寫稿。應也無所謂，我的所有作品都合乎中華文化思維，合乎孔孟春秋大義我意涵；不論長文、短文、詩詞等等，都充滿着濃濃的中國性情。二位只管用，包括印去送人、再印發行，我都沒意見。專此 順頌

平安

弟 陳福成 二〇一六年春節前

於中国台北蟾蜍山下

陳兄：

長青節在那多麼地盼望它能在它之前到來。讓我慚愧地告訴你一年容易瑣事而已，沒見到什麼顯明長進，祇有一點差堪告慰於長青是年4月5日我和那一半完成了訂婚儀式，是上帝託負長青完成的使命。

你在忙不聞亦知，為什麼將高級班延後，又為什麼沒完成你說過的婚事，何事可交人效力。下週日是長青的壽日，一南一北一東一遠，自然又是靜靜地，依舊積念地渡過它，好几年了一直避不見面，任石鐵心腸也將滴血，盆裡的水仙花才死，也因競賽得出。我們想如何靜心節節讓命之餘整當安排下一次美貌地見面，再把聲笑吹即就是我們盼望的「長青節」，何論它年月日。

2.5點想穿想拉嗒，好多事總傷神，多望長青能盡情一吐胸中怨怒後初衷。陳兄閱歷由不同往日，祇有拭目以待喜訊音。

讓我們同聲齊祝

長青萬歲！勿急勿急！

劉建 05.0.5

長青加油！

阿華

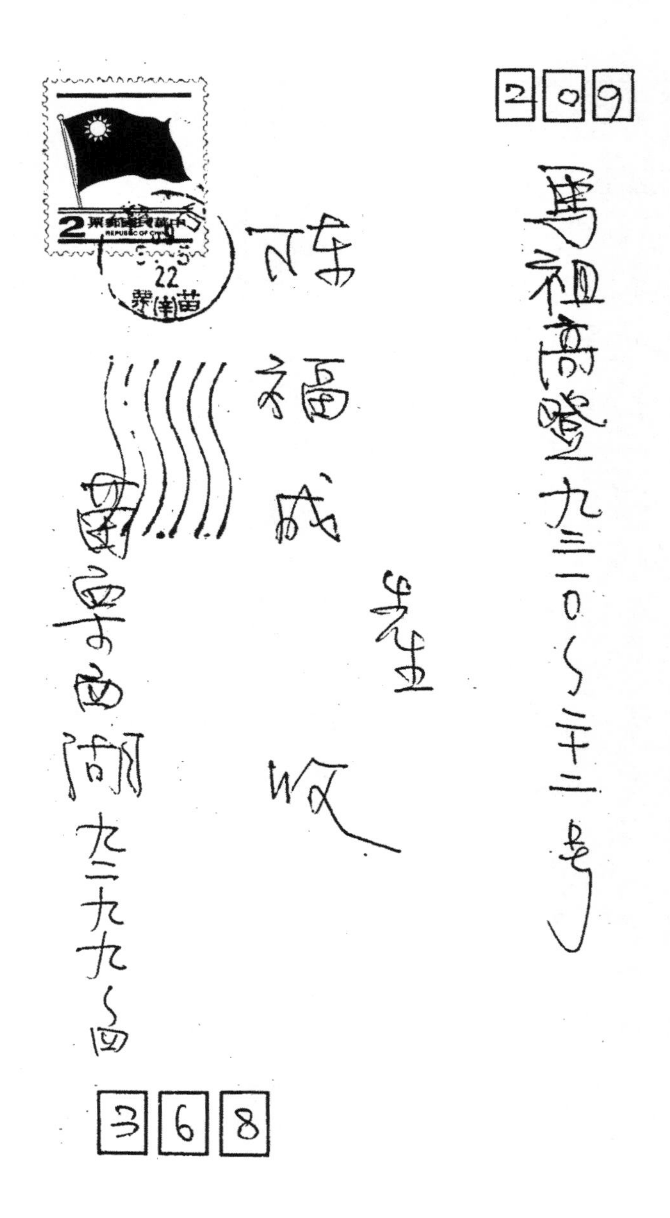
209
陳福成
先生
收
368

丟青兄：

轉眼這個年頭又快過了，回畢業迄今，三人都像似乎大海撈針，各家不易，可幸總在往後，總能在心裡感到(?)愈。但這半年見不足一回(?)，我們總是手繫(?)，檢討過去來鼓勵將來，不管我們以前所遭遇是否有不同，但我們總在往未來能一致走上康莊大道，切莫因為現在的劇變而拋掉了這棵青色巨木。

此次你們小倆口回不久，而將家中搬打個樣，雖家說人又驚又喜，不知誰家開也，以後心動，先不去未必可開吧？不知你為十日是否已定準，若不嫌棄的話也來個再創三十九，如何？

由於劉兄可能是如專程趕來，且近來的總是要來，誠慮於你們兩人擔不掉，所要到我只也不錯，到是兩位進新娘，彼此都不曾見面，實在有未足中不足，不知又是否有同感。這個月（十三日十六、十七、十八、十九）四天可休假，我都在台北家中，若兩位也有假期或有空，很希望能一起聚聚，到時候在台北坐公車，住在對面頓，在倒計(?)聚[illegible]下車的時候，打電話給代我轉(?)8333331，我會去總站接你們，最好在事前以打電話代替(?)，以便有較多的時間通知我，而我也會到那代(?)我聯絡。

敬

王青 如友

[illegible] 手 69.12.7

小竟兄：

滿以為這次會見著面的，偏就是連一聲呼嘯都沒聽見，怨旧怨誰也沒得話說，就說「緣」字还差一點吧！

像虞兄一樣我也非常佩服你的「長青精神」，仍舊保存的相當完整，這對我們來說是慚愧也是鼓勵，到底歲月征服了我們，使我們失去了依據。

也是老天垂憐，还為我們保留了一粒 seed 那就是你，長青何幸，任憑千錘百鍊終是有人屹立不拔。我們該何去何從有了公論，也請哈兄別再說我們了。今後的年代事已調甚前了，但請邁開大步向前去！我們「長青」永遠在一起，即便是倒了、跌了也是長青的驕傲，何悔之有！

新年要檢討舊年

長青 2/12

陳兄：

昨夜內人來電，得知兄已回台灣甚悅，我12月16 17 18 19四日休假，若你有空，希望能在16日到台北，我想這時間對劉可能較方便，我同时也去信给他，因目前台北租房尚無电話，故先打內人娘家8333233，若無法联络上可按仔細路線图找到我家。

長青

681209

小惠思：

半年容易算著又是你當回家的時候了，有好多話也有好多事想跟你談談，似乎也祇有我們書信才能聽進去，而這麼多年共事的人亦不過路各乃各而已。

年前你訂婚我沒能去，四月我訂婚你連糖也沒吃，咱們倆可真各奔呀一幌就5年了，像兩個同極的磁石說什麼就是不聚首，祇夢中看見你漸漸消瘦的身体，不知真瘦否？有些時候跟阿華談起書信中的小惠思她就嚷道：「到底他是誰啊」，我說等他結婚帶她去看個明白，那曉得你的missile尚未研製成功，這半年前我還保証了一段時間。

「急」事愈來愈窩囊，偷逃佔去許多時間，以前沒什麼精進現在是隨波而流，真真覺得自己在退步，也真真想到而已

有時真是精神迷惘,竟然依我性至不安,不知如何是好了;馬上要
十項的指報表了(想到你也說見過那雙手讓我的心不安那
些感動。而你們一個個的面話也極一致(共勉)(接下來是請點燈
等了吧!或許上帝有心包容一位佳人給我這種傷痛心靈和
向我,到一時你不該有理由了吧!(九月抑或十一月)

鳳姊妹來的住址我找不到,稍煩寄來,好久沒印象了。

今天的世局我又不敢訂報紙,而最近人國我的也不太是安了,才
有我的不安。

多謝同相預諒予我的了一點一點為民

康
06111700

陳兄：

來信知悉，得知兄台如此堅守諾言、屹立不移，使吾輩深感汗顏。吾已轉知劉兄，我等原則決不改變。此次北上之行雖未全員到齊，但做了一次很好的溝通，足証我們「心連心」，讓我們再次的為「長青」祝福邁進。

弟 義輝 上

PS 天寒地凍，多加保重，並代問候長青嫂。

長青兄弟：

看完你老遠漂來的心思正令我百感交集慨嘆無已，許多年的確沒有誰撇得開咱們心中的青春，也沒有什麼因素化解得他，正像是活生生的冥婚，無時或[illegible]。

這條路是開始踏勘了，即表示要著手了。是長青莫不珍惜，多望小愛思的船早些泊岸，一下船第一個動作就是給我們打個電話，還有什麼事比得長青同聚首。

婚姻報表回頭談，猶記金門時期不得申請吧！單位電話撥108（長途台）接西湖765再接五三迭電信局尚之或自家電話可了。

阿華到是很許異伊的報告。

祝

稱心如意

弟 [illegible] 0627

劉建：

歲月不饒人，轉眼春節將至，一切似和往年一樣，該走的走，該留的留，除了顯得較平日忙碌外，實感覺不出有何異狀，不知兄為有何感觸。

前日陳兄來函，相互勉勵，甚覺欣慰，更堅定意志正是我們成功的保証，瞻望未來仍是一片光明，茲有如下數事共信共勉：

一、更堅定我們最初的意願。

二、再充實自己。

三、本職工作不得疏忽。

四、忠孝難兩全，成家亦為固定。

五、代問候爸媽兄妹，阿華春節愉快。

長青

64.0213

小意思：

又是一段漫長的日子，未來聯絡了，不知近況如何？、甚念！

最近，這幾個月，也夠忙的了，尤其是另為「長」字號人物，差不多都快變天才了，要幫要看要測的不知多少，反正這幾年是賣給他了，隨便他怎麼由。上兩個禮拜我們參加上級的戰技測驗，據說還拿了個第一，但也把我們累慘了，幸虧平日小有練習，否則真不堪想像。

前些日子和李嘉萊同學聊天，彼此都有可

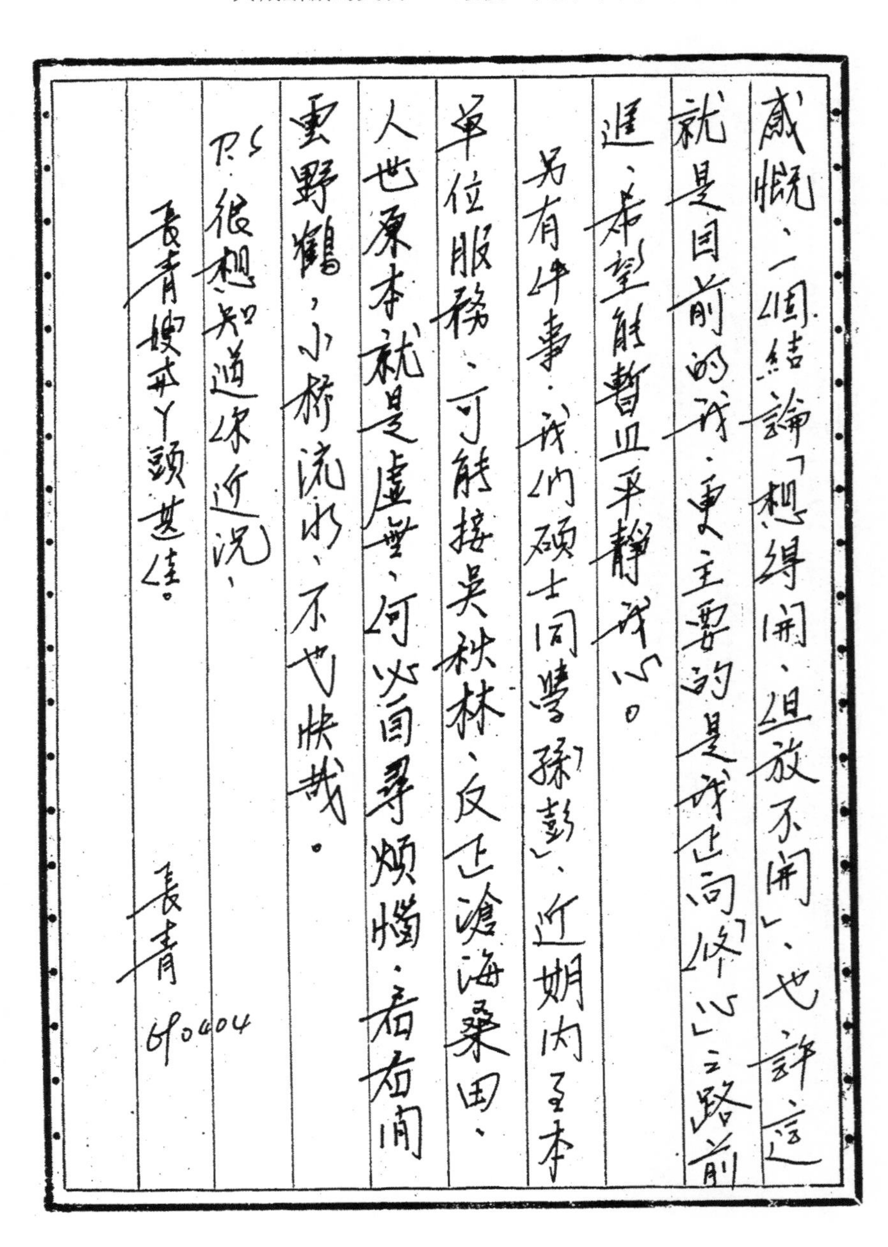

感慨、一個結論「想得開、但放不開」、也許這就是目前的我、更主要的是我「向佛心」之路前進、希望能暫且平靜我心。

另有件事、我們碩士同學「孫彭」、近期內至本單位服務、可能接吳秋林、反正滄海桑田、人世原本就是虛無、何必自尋煩惱、看看閒雲野鶴、小橋流水、不也快哉。

P.S 很想知道你近況、
長青嫂或丫頭甚佳。

長青
690404

亞青：

沒見面！人耶？命耶？

儘管想見你祇為了看你一眼都不能如願。

廣今番得了「螢光守護隊」，我為他高興極了，這又再度

証明了亞青不會差的，依舊由他披頭等而已。

老友更令人感心窩的是你，我均找到了 Companion，不能說一事無成

的，然這是開端尚未見結果，我們仍須努力，向那樣紛

的明天前進。當那一日吃到吉古餅，喝乾手上的酒，再把臂

大笑三聲。

多談一些好的她，可愛嗎？

Guitar收起手了，所帶來傷心的一刻。為拿之辯難。

祝

好意

志友
08.7
2130

第二章
寫手方飛白的身影
（節錄）

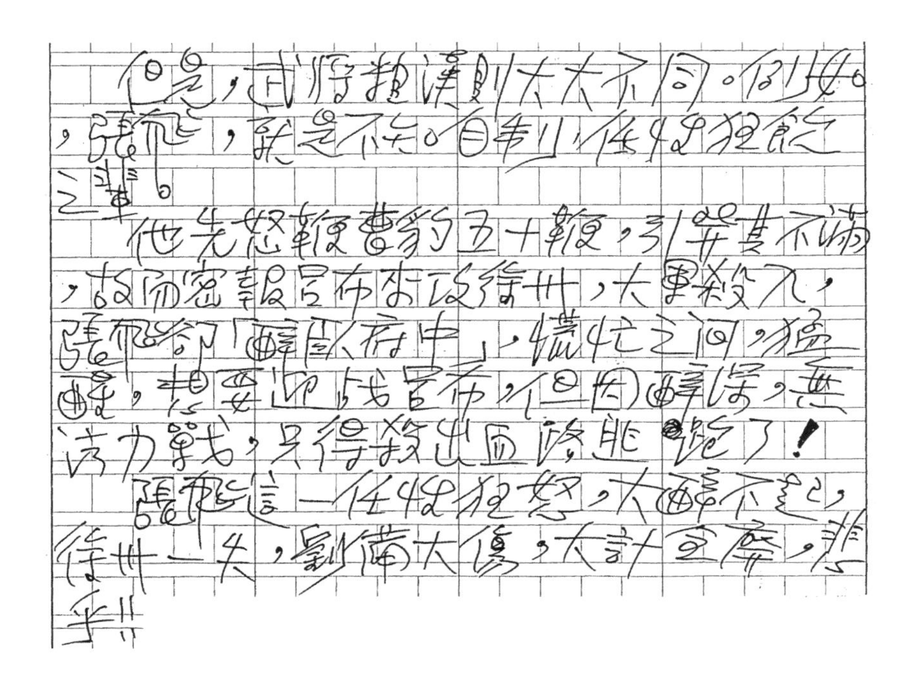

但是，武將[illegible][illegible]則大大不同。例如，張飛，就是不知自制，任性狂飲之輩。

他先怒鞭曹豹五十鞭，引發其不滿，故而密報呂布來攻徐州，大舉殺入，張飛卻「醉臥府中」，慌忙之間，猛醒，想要迎戰呂布，但因醉得，無法力戰，只得殺出血路逃跑了！

張飛這一任性狂怒，大醉不起，徐州一失，劉備大傷，大計全廢，悲乎哉

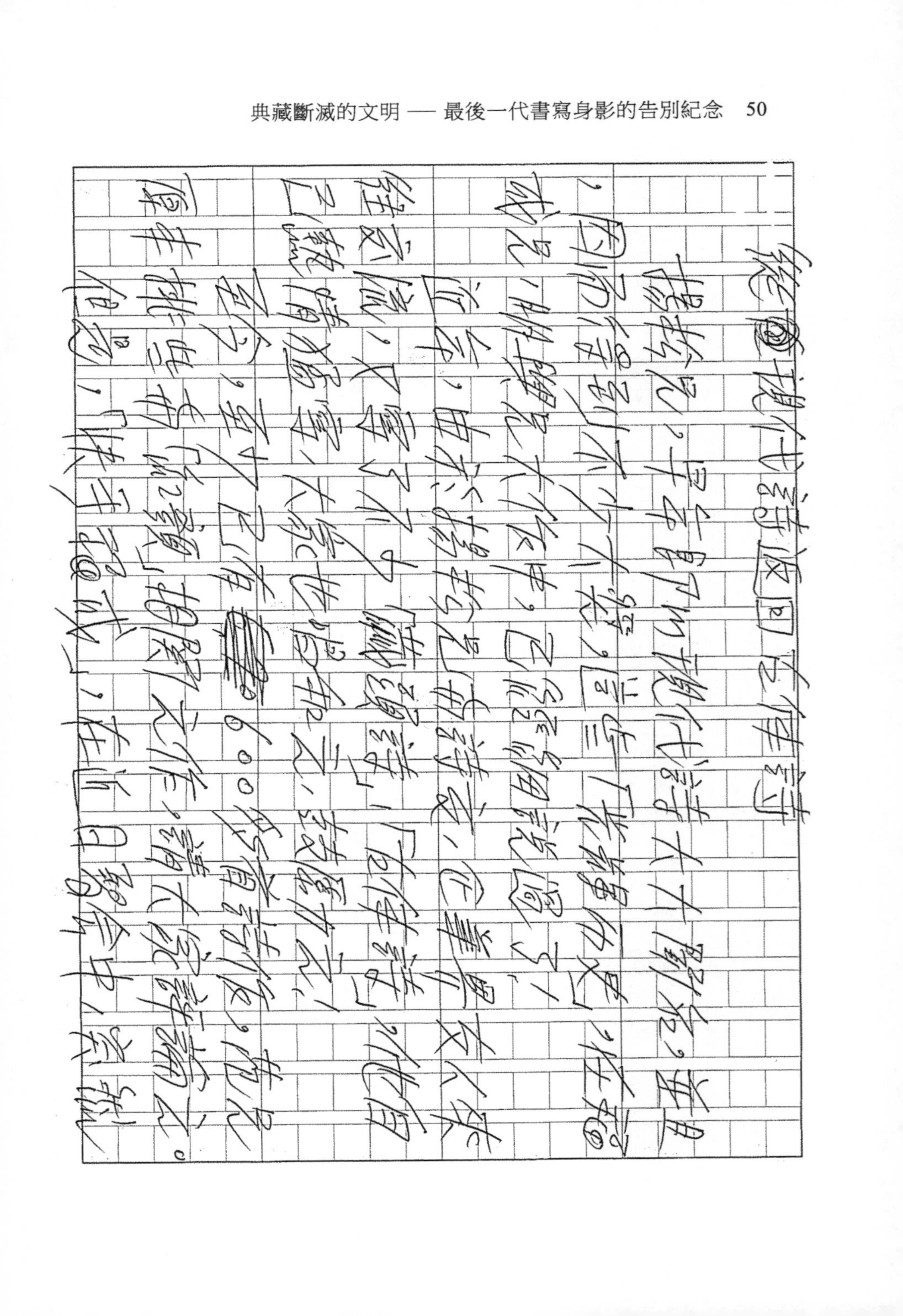

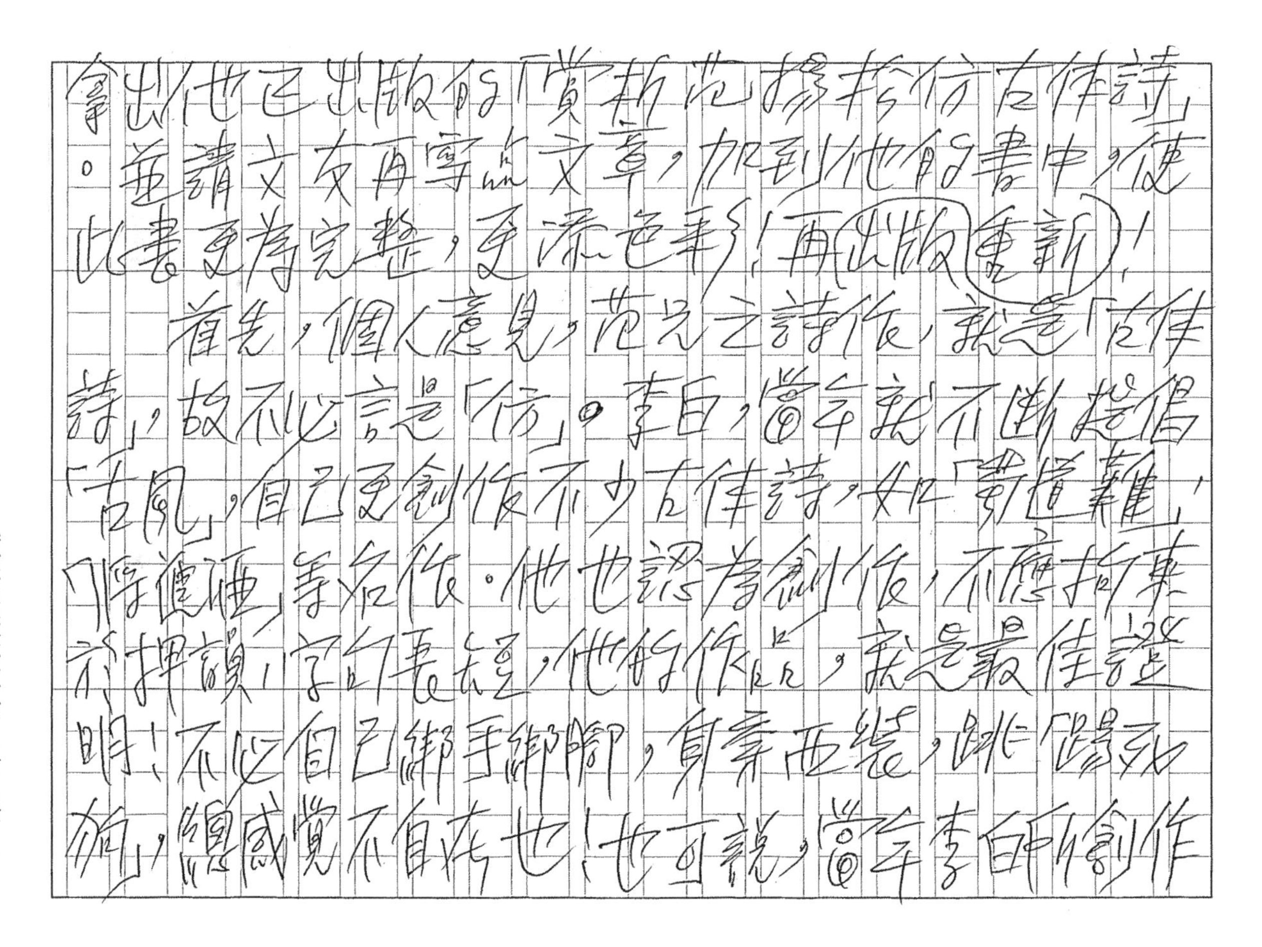

拿出他已出版的「賞析范揚松仿古体詩」。並請文友再寫些文章，加到他的書中，使此書更為完整，更添色彩！再出版重新！

首先，個人意見，范兄之詩作，就是「古体詩」，故不必言是「仿」。李白，當年就不斷提倡「古風」，自己更創作不少古体詩，如「蜀道難」「將進酒」等名作。他也認為創作，不應拘束於押韻，字句長短，他的作品，就是最佳證明！不必自己綁手綁腳，身系西裝，跳「踢躂舞」，總感覺不自在也！也可說，當年李白所創作

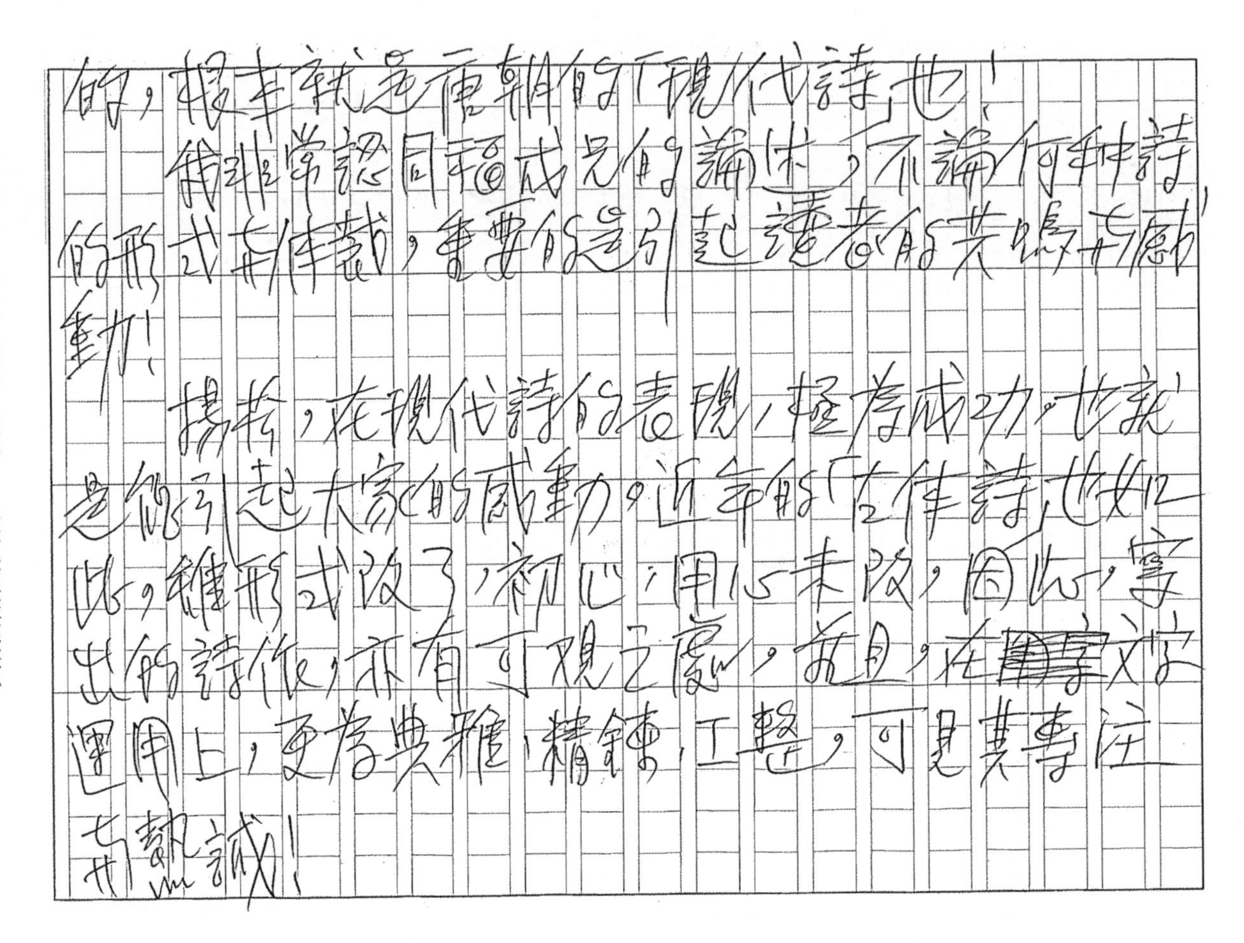

的，根本就是童韻的「現代詩」也！

我非常認同福成兄的論述，不論何種詩的形式與體裁，重要的是引起讀者的共鳴與感動！

揚老，在現代詩的表現，極為成功，也就是能引起大家的感動。近年的「古律詩」也如此，雖形式改了，初心、用心未改，因此，寫出的詩作，亦有可觀之處，並且，在文字運用上，更為典雅、精鍊、工整，可見其專注與熱誠！

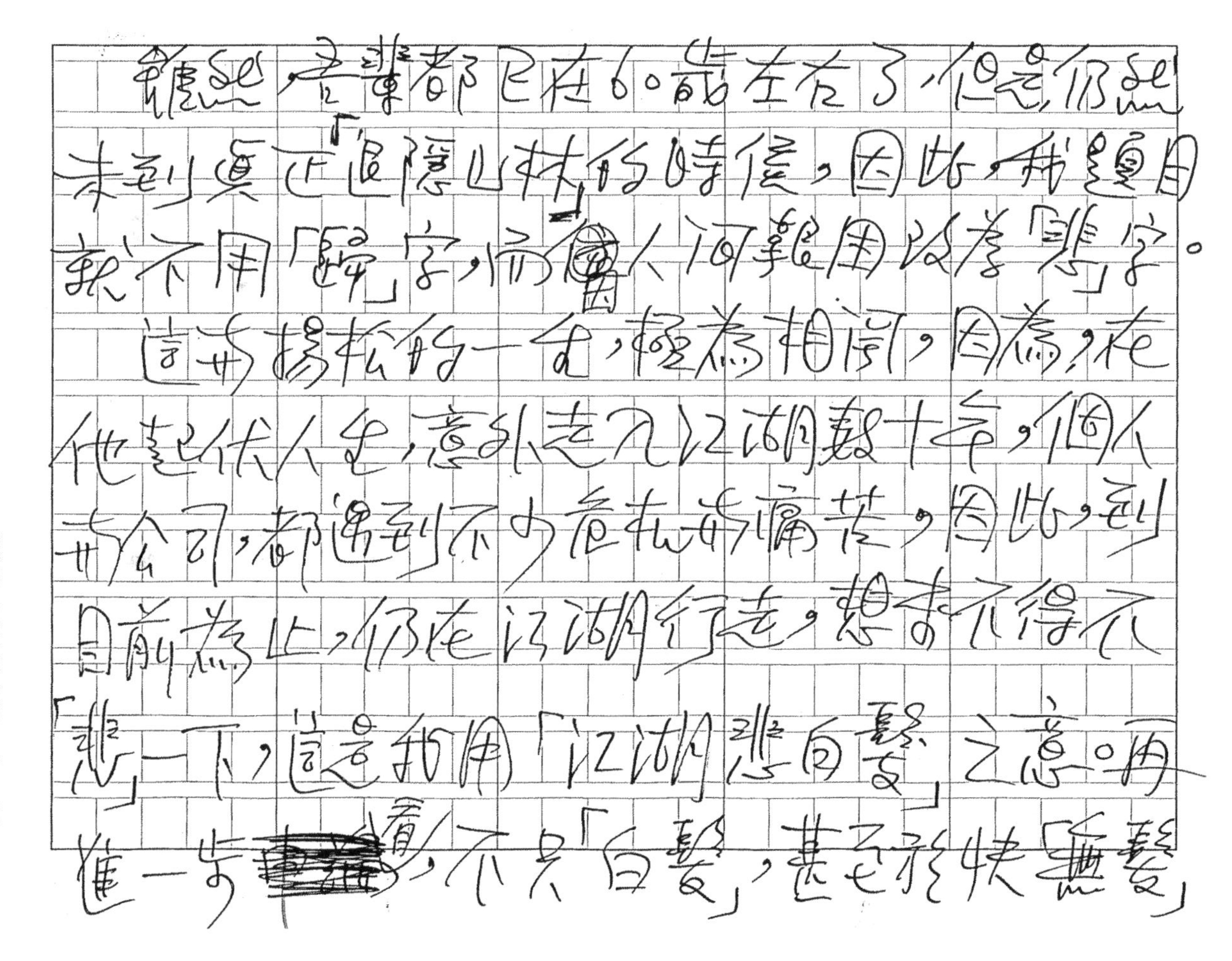

雖然，吾輩都已在60歲左右了，但是仍然
未到真正「退隱山林」的時候，因此，我題目
就不用「歸」字，而個人有親用改為「悲」字。
這與揚松的一生，極為相同，因為，在
他起伏人生，意外走入江湖數十年，個人
在公司，都遇到不少危機與痛苦，因此，到
目前為止，仍在江湖行走，想不得不
「悲」一下，這是我用「江湖悲白髮」之意。再
進一步看，不只「白髮」，甚至於快「無髮」

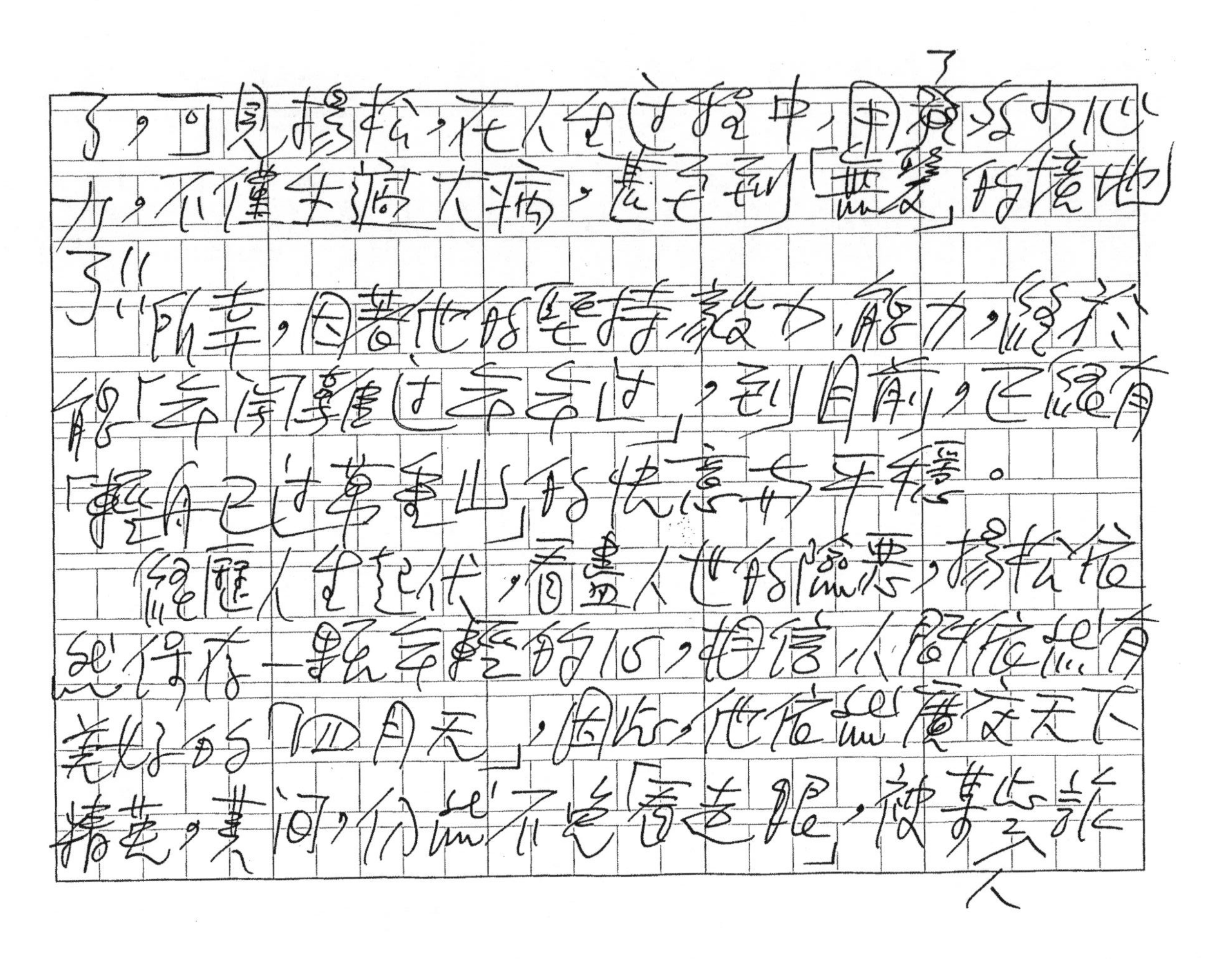

了，可見楊校，在人生過程中，因為缺少了心
力，不僅生過大病，甚至到「無愛」的境地
了！
所幸，因著他的堅持毅力，能力，終於
能「無障礙過年年過」，到目前，已經有
「輕舟已過萬重山」的快意和平穩。
經歷人生起伏，看盡人世的險惡，楊校依
然保存一顆年輕的心，相信人間依然有
美好的「四月天」，因此，他依然廣交天下
精英，其間，仍然不免會遇「老騙」，被某些詐人

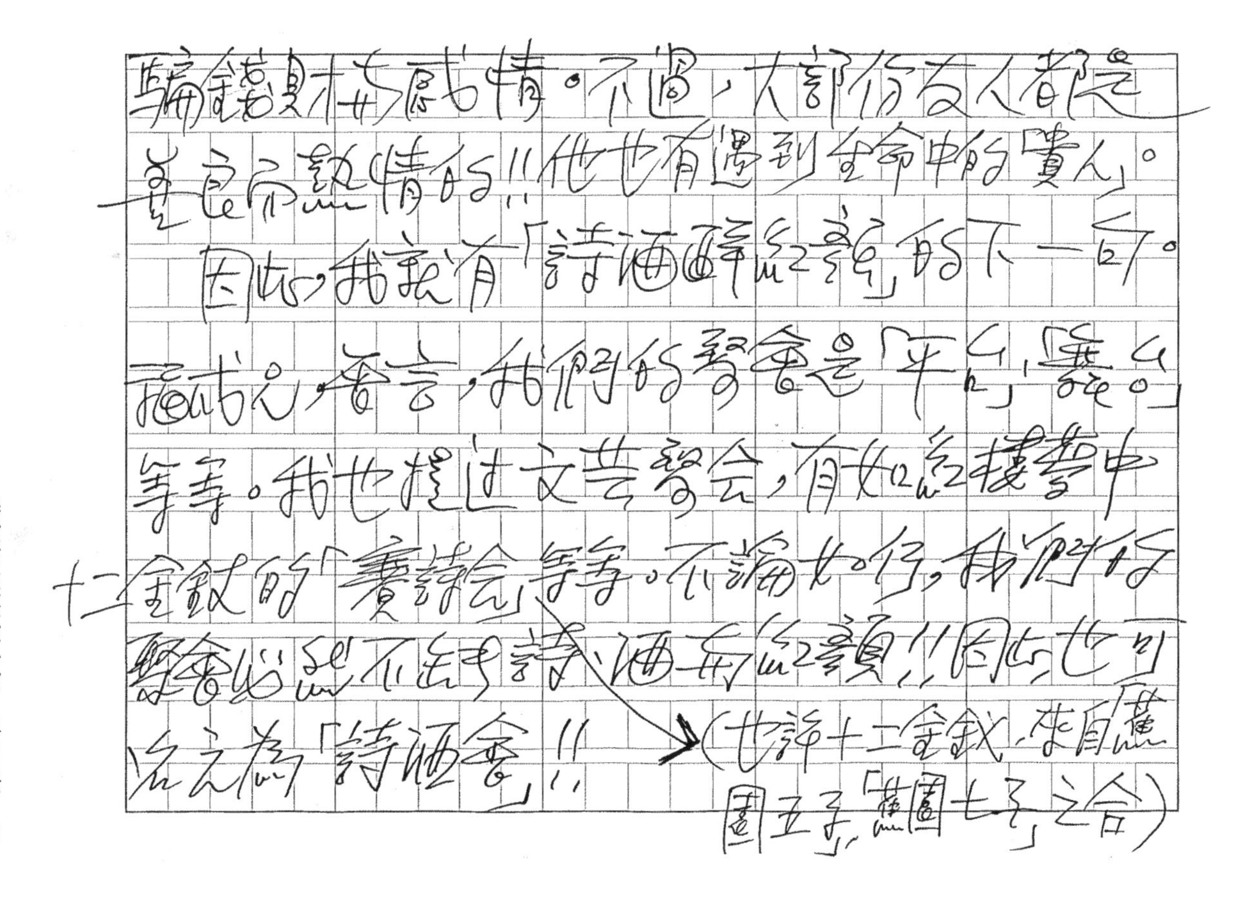

騙錢財和感情。不過，大部份友人都是真生命熱情的！！他也有遇到生命中的「貴人」。

因此，我就有「詩酒醉紅顏」的下一句。

猶記得，當年，我們的聚會是「平台」「露台」等等。我也提過文藝聚會，有如紅樓夢中十二金釵的「賽詩會」等等。不論如何，我們的聚會必然不缺詩、酒與紅顏！！因此也可名之為「詩酒會」！！（也許十二金釵、來自蘆園五子「蘆園七子」之合）

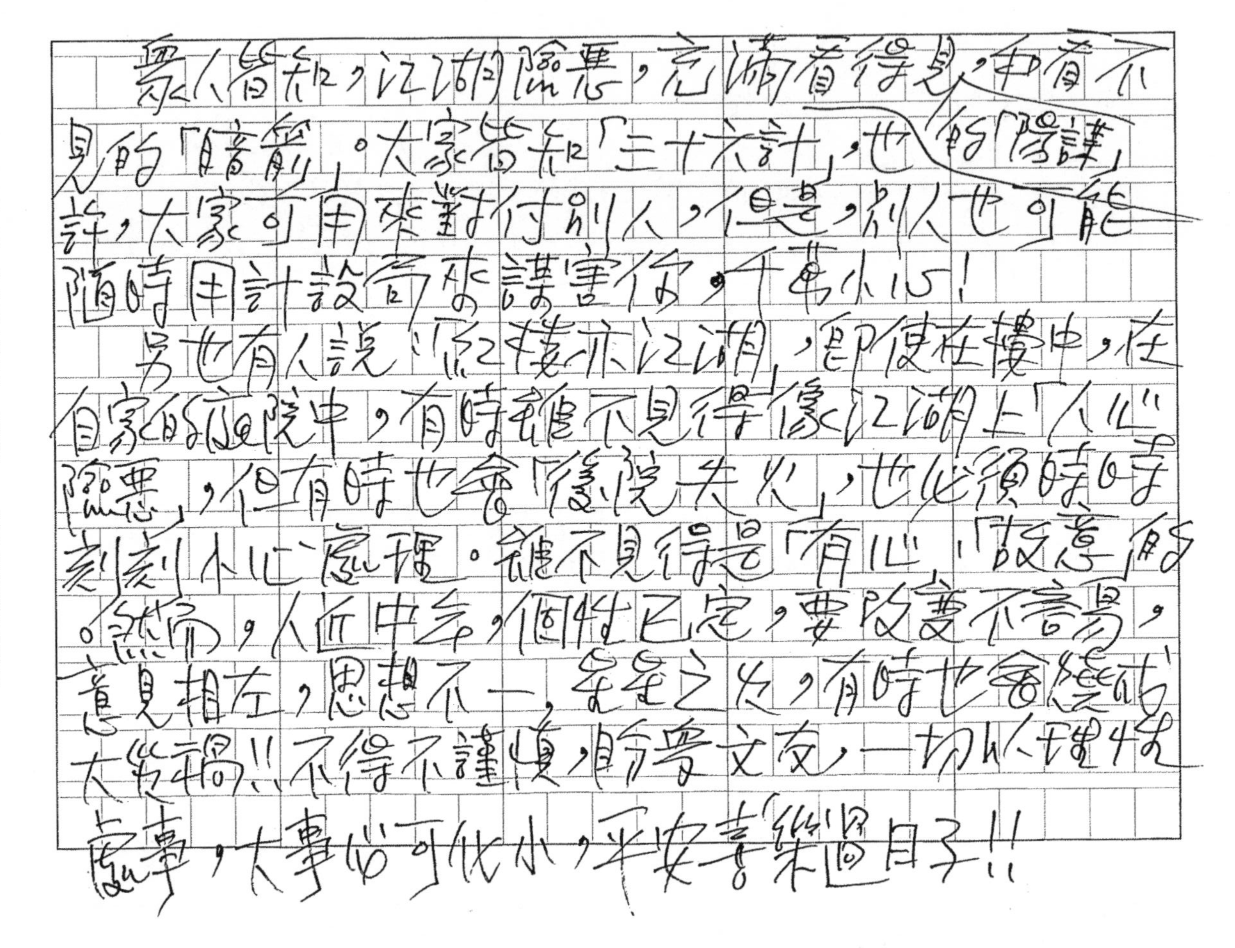

眾人皆知，江湖險惡，充滿着看得見，和看不見的「暗箭」。大家皆知「三十六計」，也的「陰謀」詐，大家可用來對付別人，但是，別人也可能隨時用計設局來謀害你，千萬小心！

另也有人說：「紅樓亦江湖」，即使在樓中，在自家的庭院中，有時雖不見得像江湖上「人心險惡」，但有時也會「後院失火」，也必須時時刻刻小心處理。雖不見得是「有心」「故意」的。然而，人近中年，個性已定，要改變不容易，意見相左，思想不一，爭吵之餘，有時也會釀成大災禍!!不得不謹慎，[illegible]，一切以理性處事，大事皆可化小，平安喜樂過日子!!

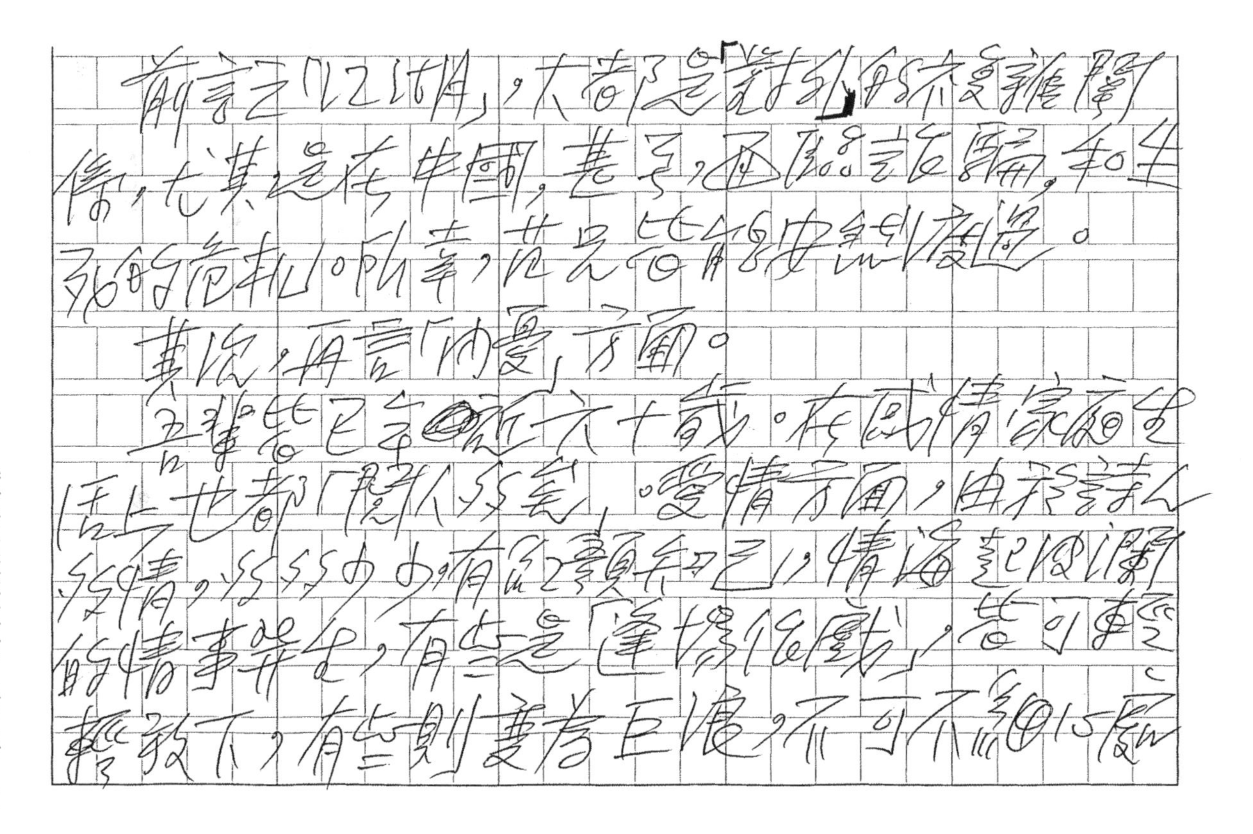

前言之「江湖」，大都是指外部的紛雜關係，尤其是在中國，甚至，面臨詭騙和生死的危機四伏，幸而吾皆能安然度過。

其次，再言「內憂」方面。

吾輩皆已年近六十歲。在感情家庭生活上也都「閱人多矣」，愛情方面，由於諸多緣情，多多少少有紅顏知己，情海起伏闌的情事紛爭，有些是「逢場作戲」，皆可輕輕放下，有些則要看巨浪，不可不細心處

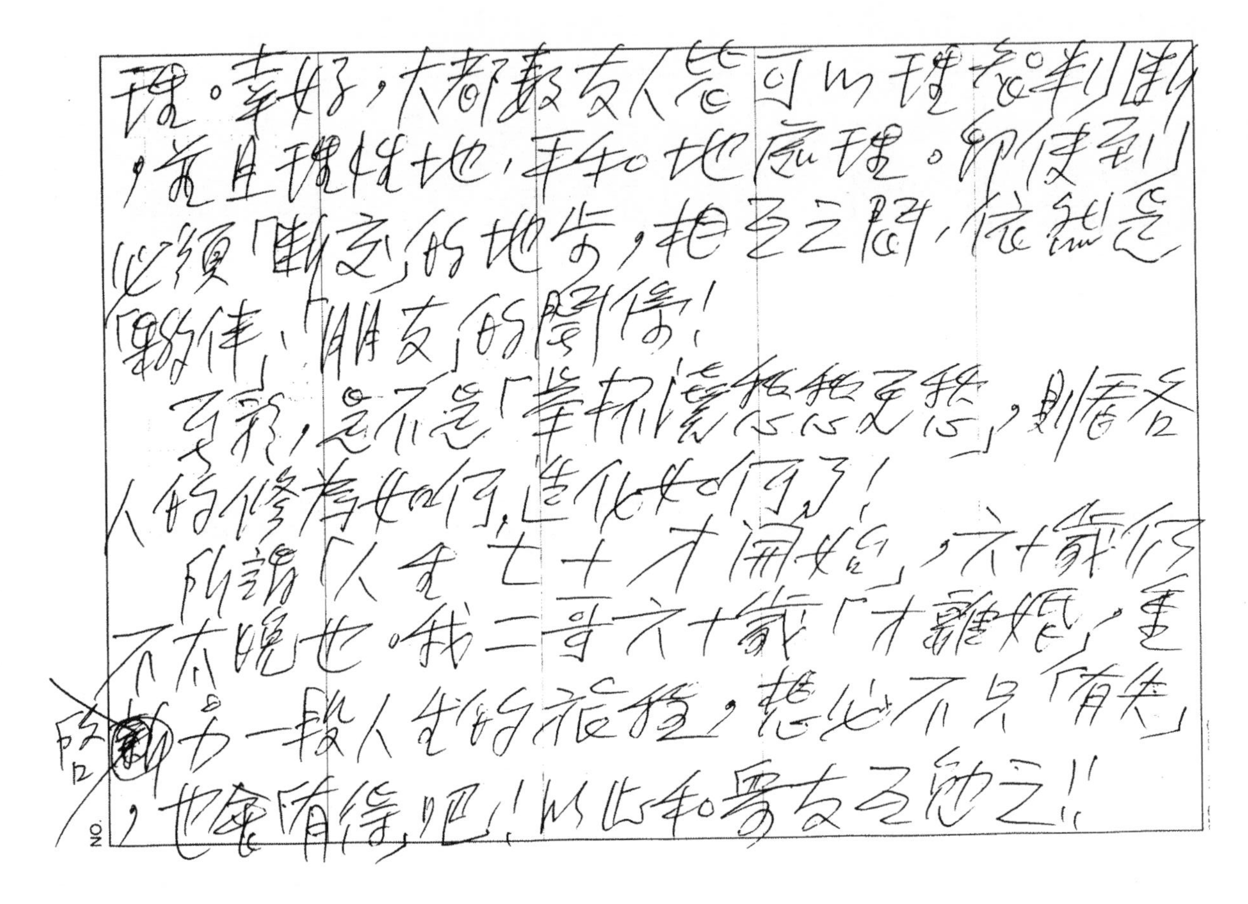

NO.

理。幸好，大都數友人皆可以理智判斷，並且理性地，平和地處理。即使到必須「斷交」的地步，相互之間，依然是「夥伴」、「朋友」的關係！

至於，是不是「牽扯恩怨怨又怨」，則看各人的修為如何，造化如何了！

所謂「人生七十才開始」，六十歲仍不太晚也。我二哥六十歲「才離婚」，重啟另一段人生的旅程，想必不只「有失」，也會有得吧！以此和吾友互勉之！！

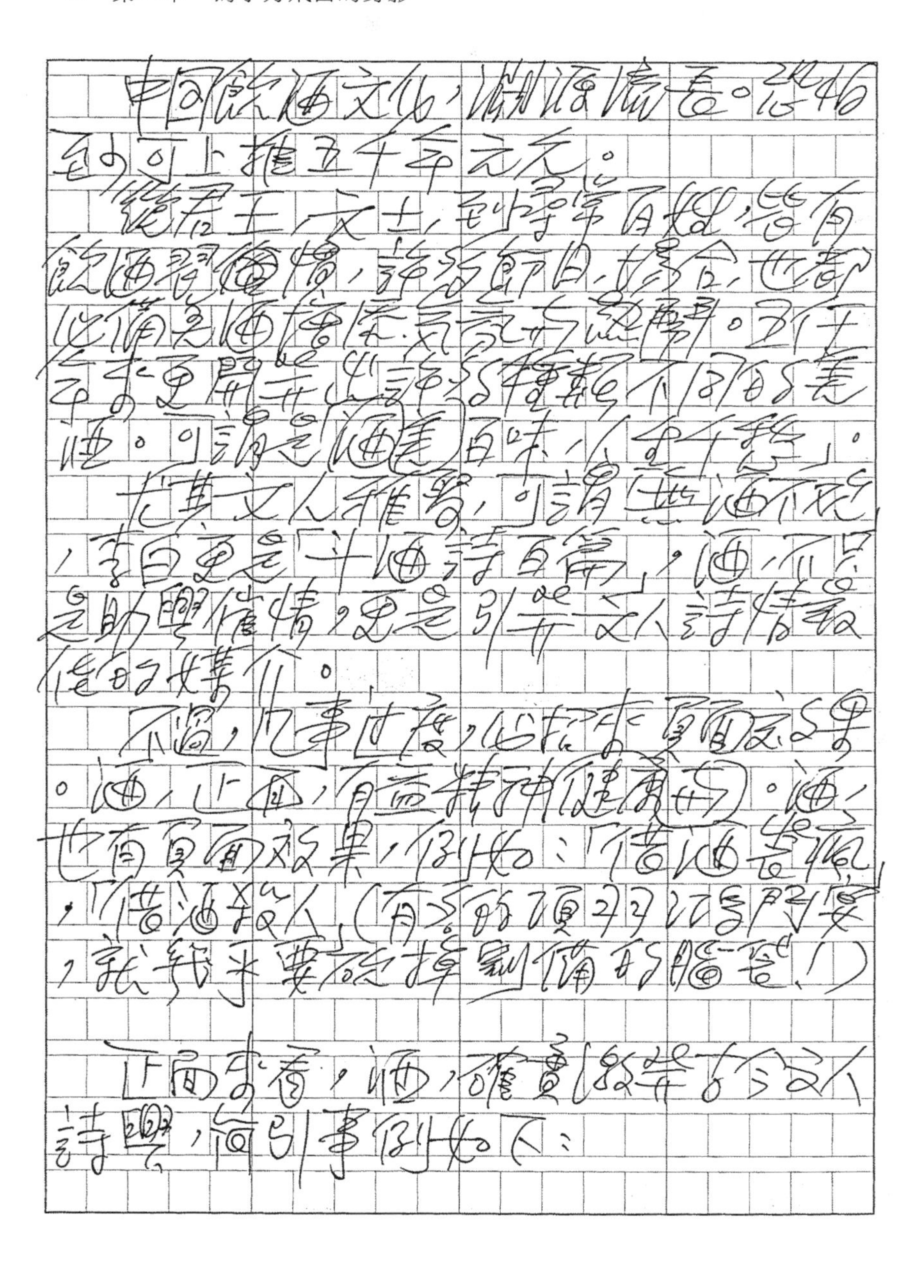
中國飲酒文化，淵源流長。追溯到可上推五千年之前。

從君王、文士，到尋常百姓，皆有飲酒習慣，許多節日、場合，也都必備美酒佳餚，宴客共歡。古往今來更衍生出許多種類不同的美味。可說是酒香美味人生雅趣。

尤其文人雅客，可謂無酒不歡，李白更是「斗酒詩百篇」，酒不只是助興催情，更是引發文人詩情最佳的媒介。

不過，凡事過度，必招來負面效果。酒，正面，有益精神健康的。酒，也有負面效果，例如：「借酒裝瘋」、「借酒殺人（有如項羽鴻門宴，就我要砍掉劉備的腦袋！）」

正面來看，酒，確實激發古今文人詩興，簡引事例如下：

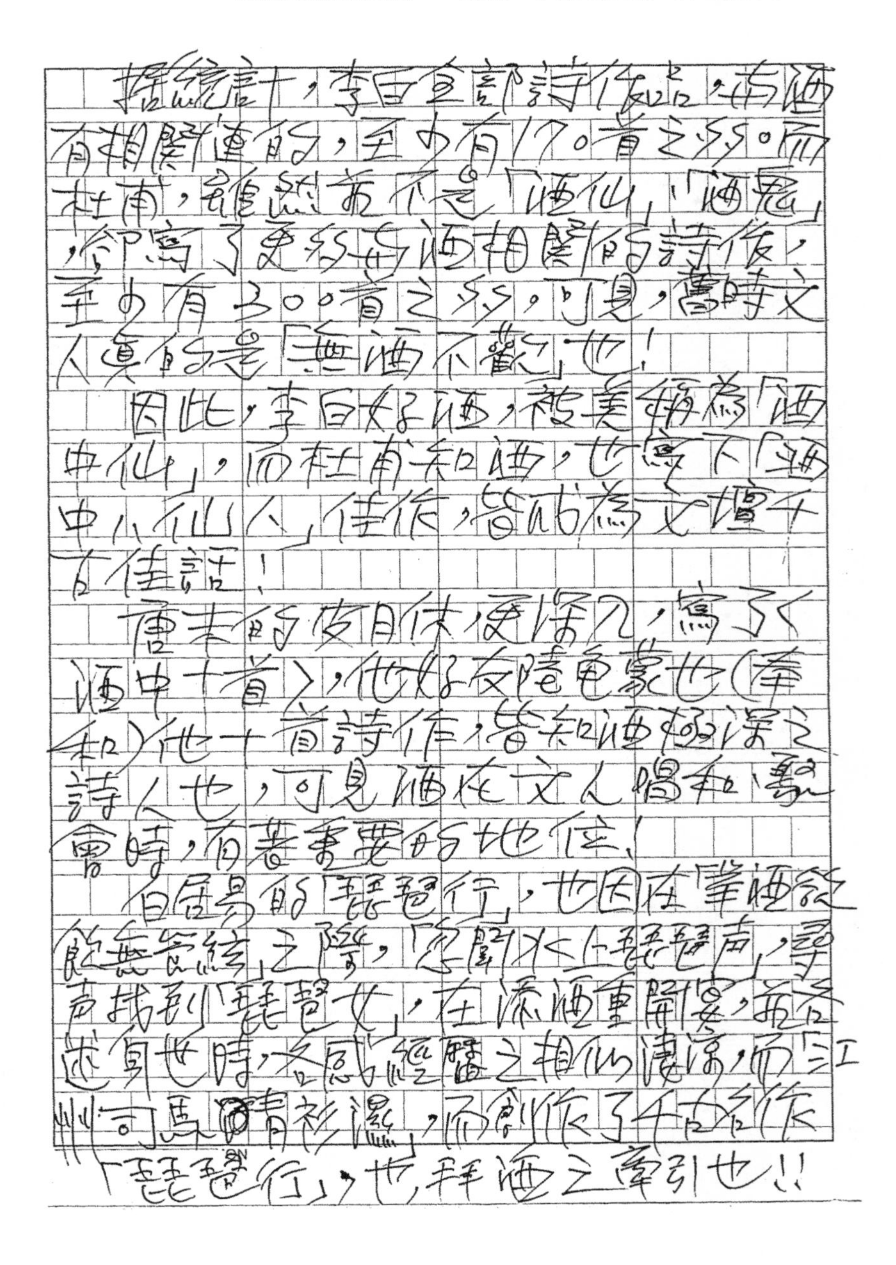

據統計，李白全部詩作，和酒有相關連的，至少有170首之多。而杜甫，雖然不是「酒仙」「酒鬼」，卻寫了更多與酒相關的詩作，至少有300首之多。可見，當時文人真的是「無酒不歡」也！

因此，李白好酒，被美稱為「酒中仙」，而杜甫知酒，也寫下「酒中八仙人」佳作，皆成為文壇千古佳話！

唐末的皮日休愛酒人，寫了〈酒中十首〉，他好友陸龜蒙也（奉和）他十首詩作，皆知酒極深之詩人也，可見酒在文人唱和聚會時，有著重要的地位！

白居易的「琵琶行」，也因在舉酒欲飲無管絃之際，「忽聞水上琵琶聲」，尋聲找到「琵琶女」，在添酒重開宴，並自述身世時，令感經歷之相似淒涼，而「江州司馬青衫濕」，而創作了千古名作「琵琶行」，也拜酒之牽引也！！

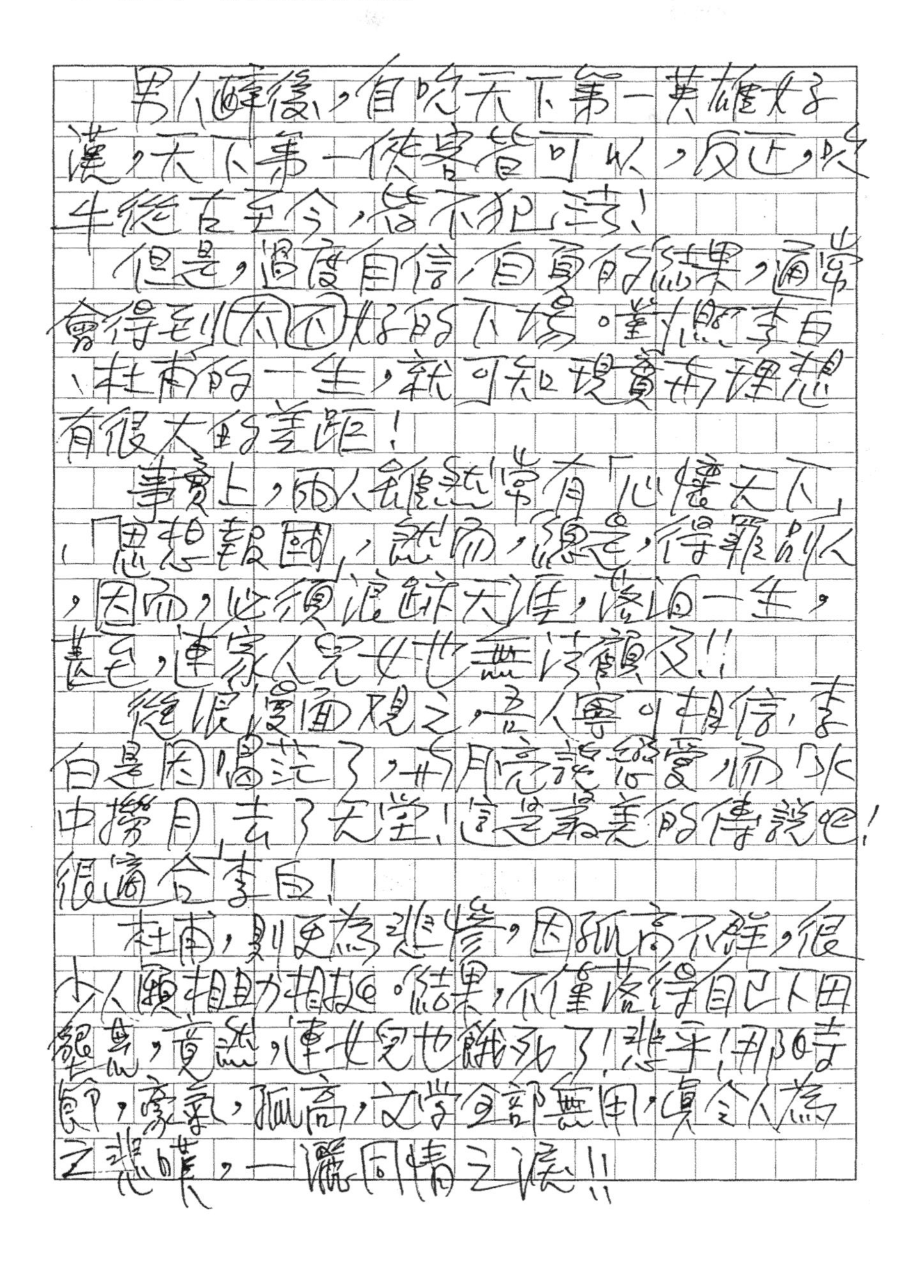
男人醉後，自吹天下第一英雄好漢，天下第一俠客皆可以，反正，吹牛從古至今，皆不犯法！

但是，過度自信，自負的結果，通常會得到不太好的下場。對照李白、杜甫的一生，就可知現實與理想有很大的差距！

事實上，兩人雖然常有「心懷天下」、「思想報國」，然而，總是，得罪別人，因而，必須浪跡天涯，潦倒一生，甚至，連家人兒女也無法顧及！！

縱很浪漫的觀之，吾人寧可相信，李白是因喝茫了，對月亮說愛，而「水中撈月」去了天堂！這是最美的傳說吧！很適合李白！

杜甫，則更為悲慘，因孤高不群，很少人願相助相挺，結果，不僅落得自己下田犁耕，貧病，連女兒也餓死了！悲乎！那時節，豪氣，孤高，文學全部無用！真令人為之悲嘆，一灑同情之淚！！

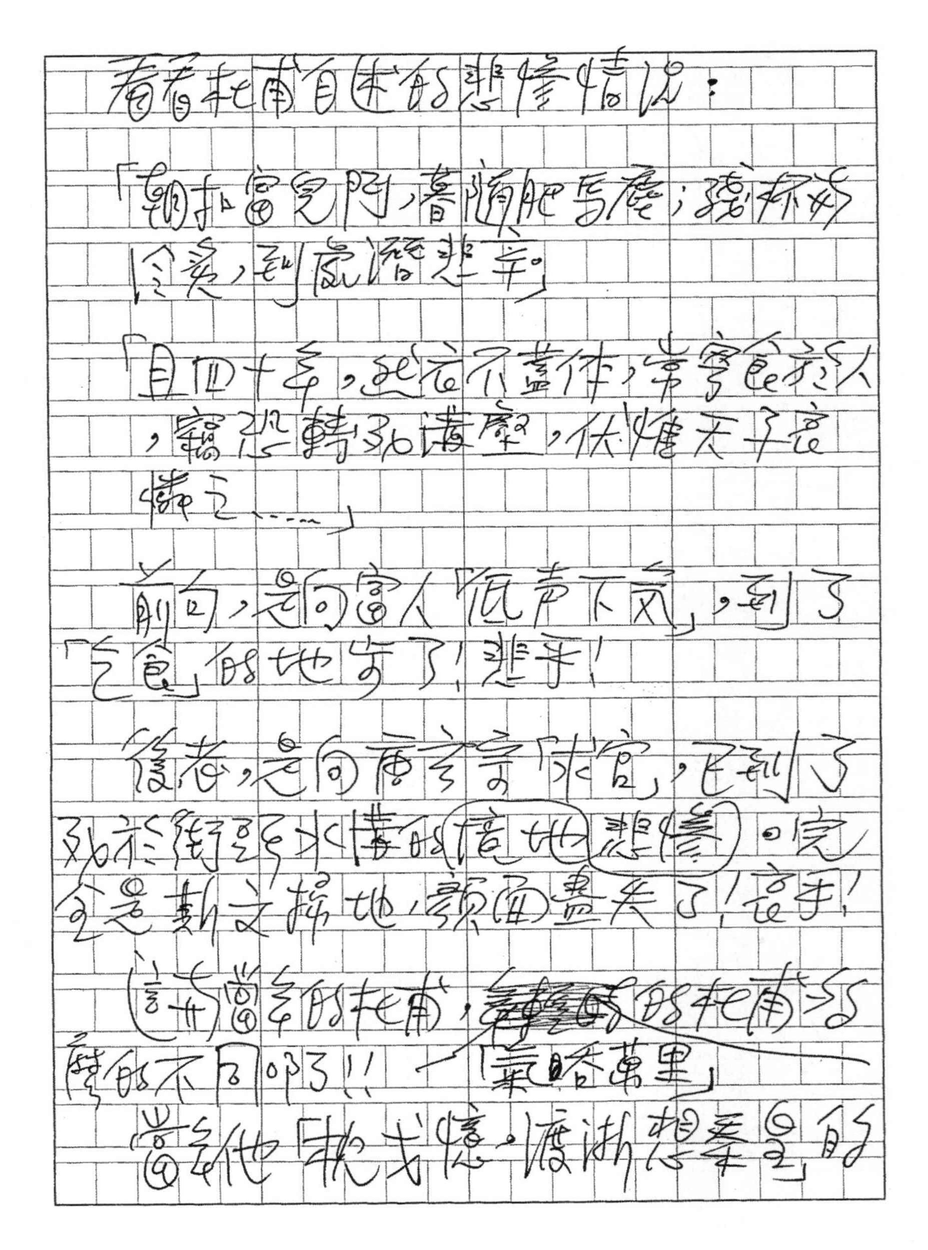

看看杜甫自述的悲慘情況：

「朝扣富兒門，暮隨肥馬塵；殘杯與冷炙，到處潛悲辛。」

「自四十年，然衣不蓋体，常寄食於人，竊恐轉死溝壑，伏惟天子哀憐之……」

前句，是向富人「低声下気」，到了「乞食」的地步了！悲乎！

後者，是向唐玄宗「求官」，已到了死於街頭水溝的慘地（悲慘）。完全是斯文掃地，顏面盡失了！哀乎！

這与當年的杜甫，「氣吞萬里」的杜甫，多麼的不同啊！！

當年他「撫戈憶，渡湖想秦皇」的

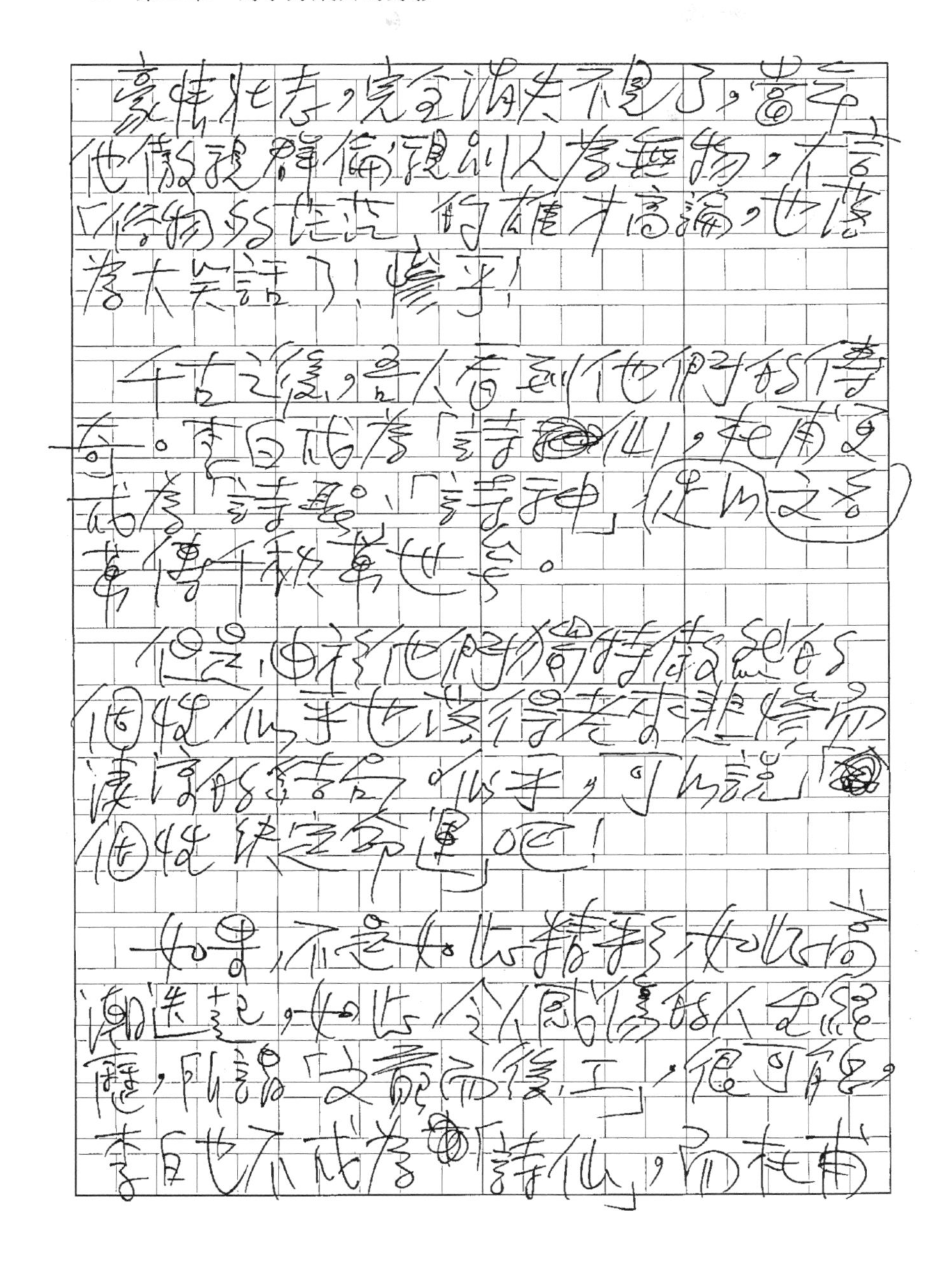

豪情壯志，完全消失不見了。當年他傲視群倫，視別人為無物，不言「俗物的狂言」，何雄才高論，也落為大笑話了！慘乎！

千古之後，吾人看到他們的傳奇。李白被稱為「詩仙」，杜甫又被稱為「詩聖」、「詩神」，從此文名萬傳千秋萬世矣。

但是，由於他們倚恃傲氣的個性，仙才也落得悲慘命運的結局。似乎，可以說「個性決定命運」吧！

如果，不是如此恃才傲物，如此高潮迭起，如此令人同情的人生經歷，所謂「文窮而後工」，很可能，李白也不被稱為「詩仙」，而杜甫

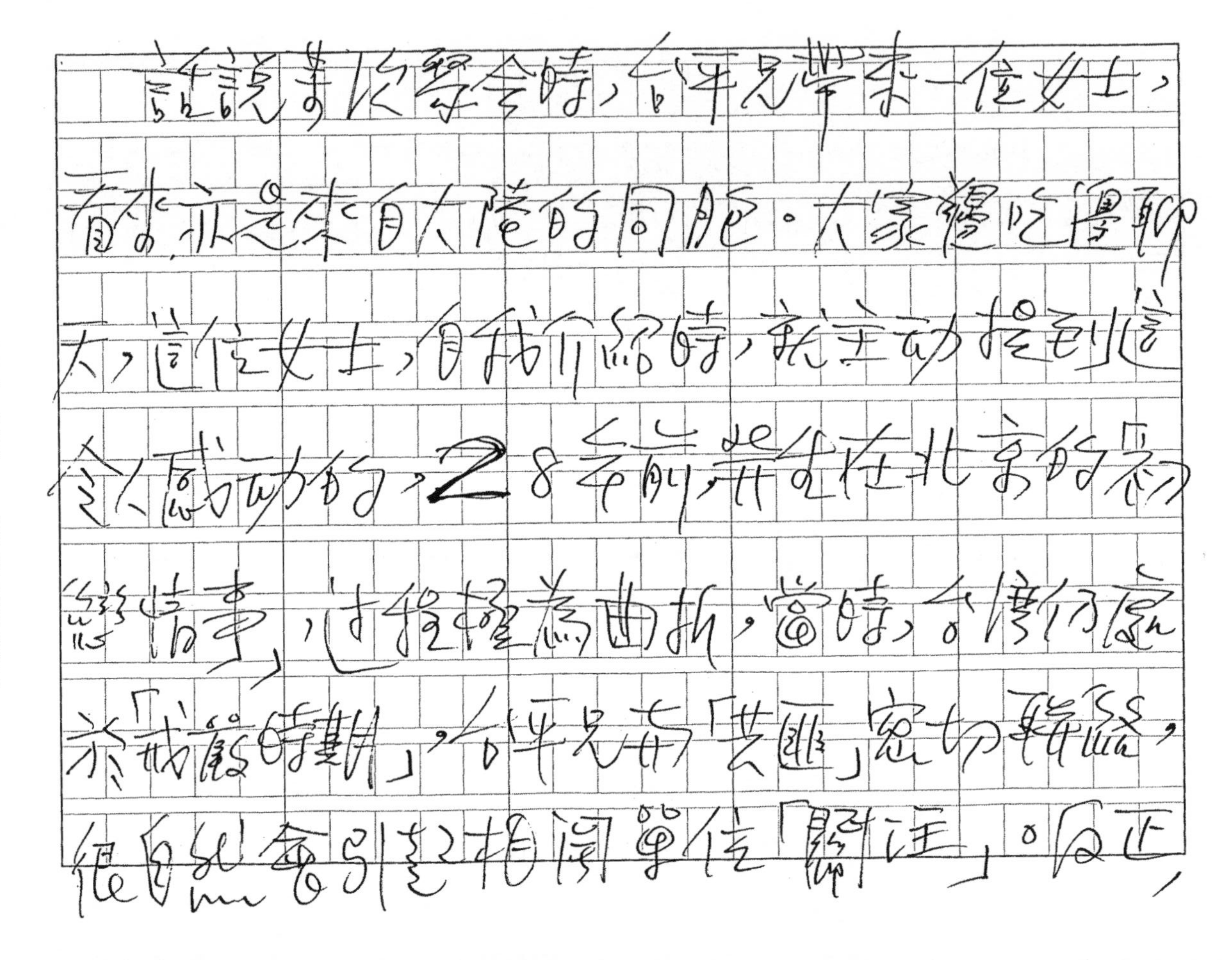

話說某次聚會時，台平兄帶來一位女士，
看來亦是來自大陸的同胞。大家邊吃邊聊
天，這位女士，自我介紹時，就主動提到這
令人感動的，28年前，發生在北京的初
戀情事，過程極為曲折，當時，台灣仍處
於「戒嚴時期」，台平兄和「共匪」密切聯絡，
很自然會引起相關單位「關注」。反正，

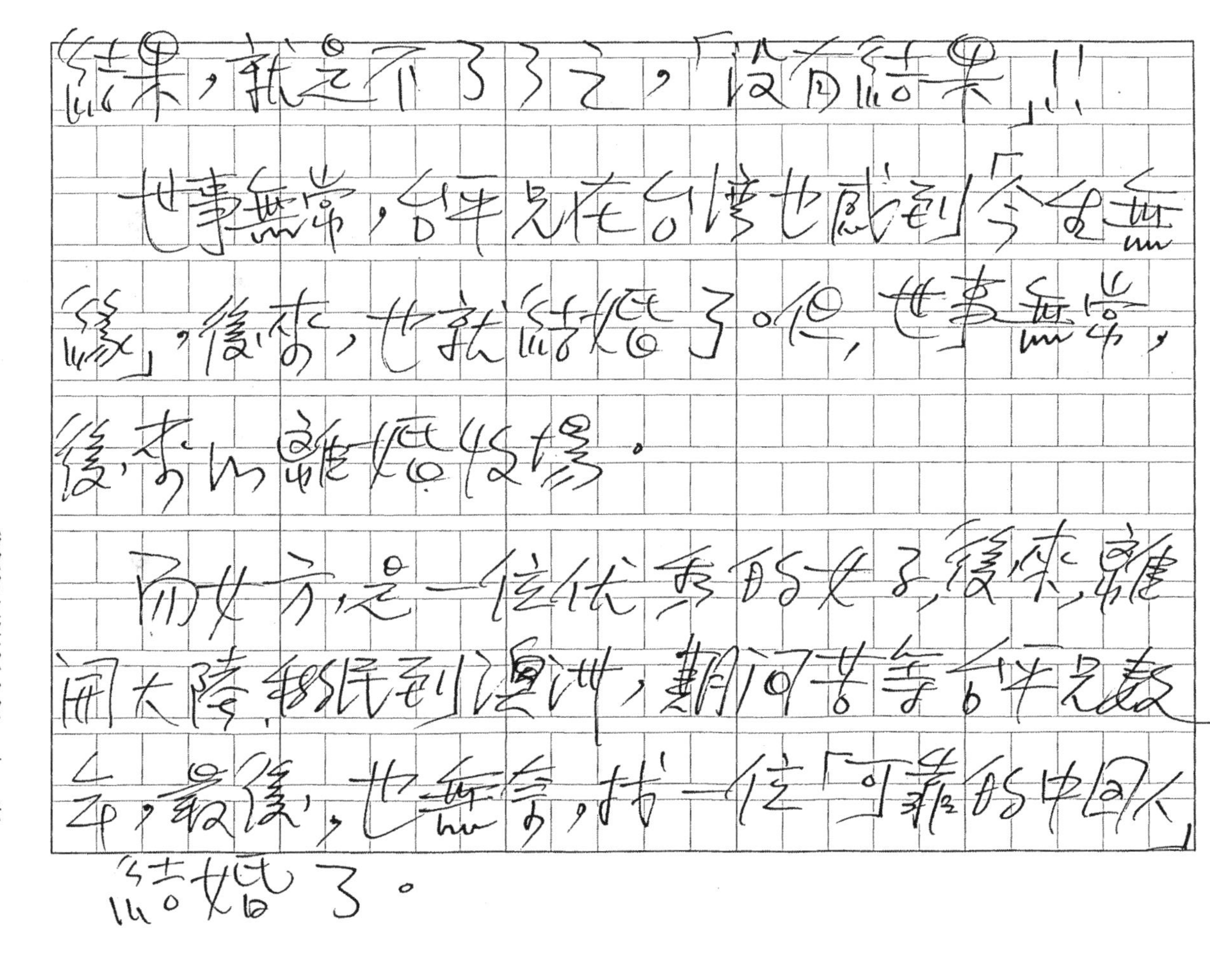

結果，就是不了了之，「沒有結果」!!

世事無常，台平兄在台灣也感到「今生無緣」，後來，也就結婚了。但，世事無常，後來以離婚收場。

而女方，是一位優秀的女子，後來，離開大陸移民到澳洲，期間苦等台平兄數年，最後，也無奈，找一位「可靠的中國人」結婚了。

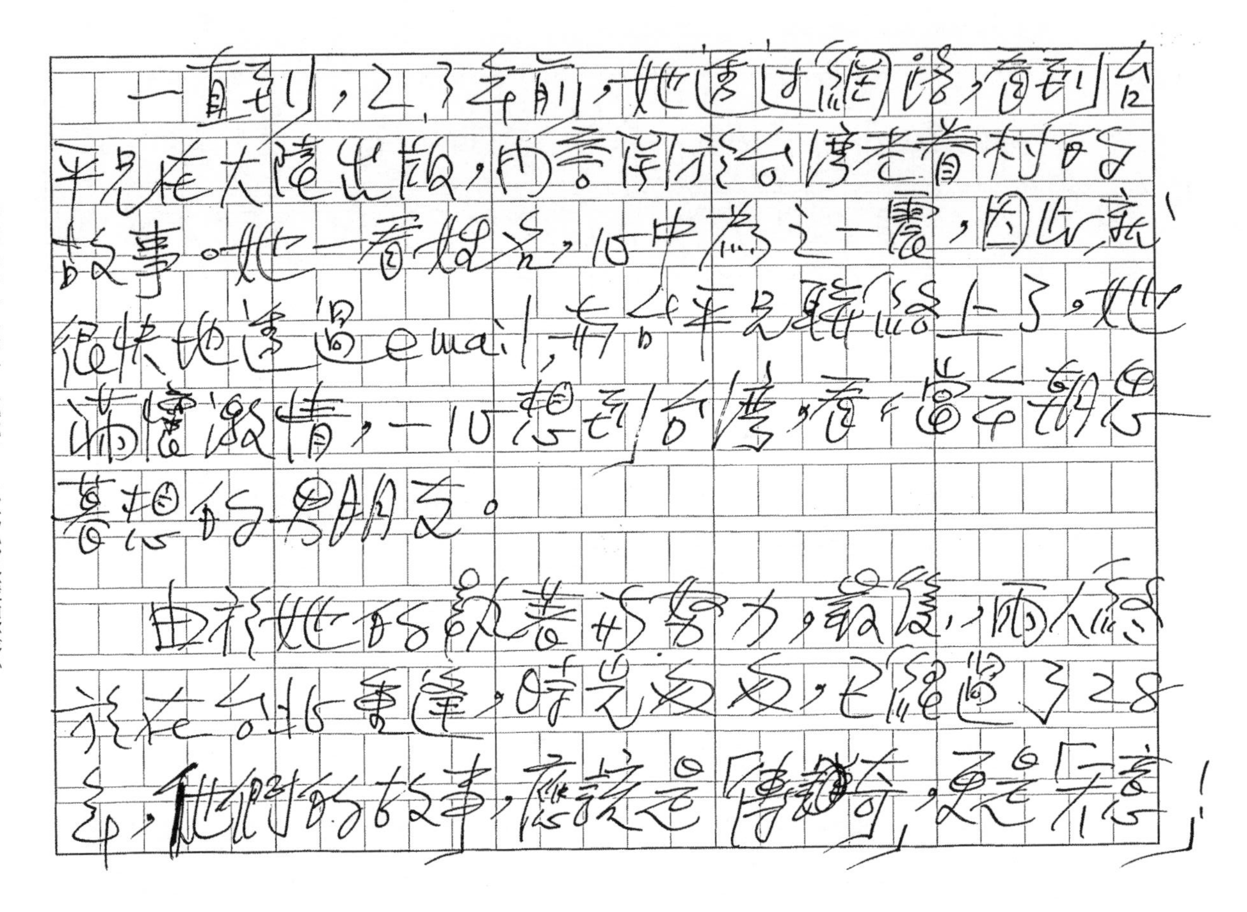

一直到，23年前，她透過網路，看到台平兄在大陸出版，內容關於台灣老眷村的故事。她一看好喜，心中為之一震，因此就很快地透過email，與台平兄聯絡上了。她滿懷激情，一心想到台灣，看看當年朝思暮想的男朋友。

由於她的鍥而不捨的努力，最後，兩人終於在台北重逢，時光匆匆，已經過了28年，他們的故事，應該是「傳奇」，更是「有意」！

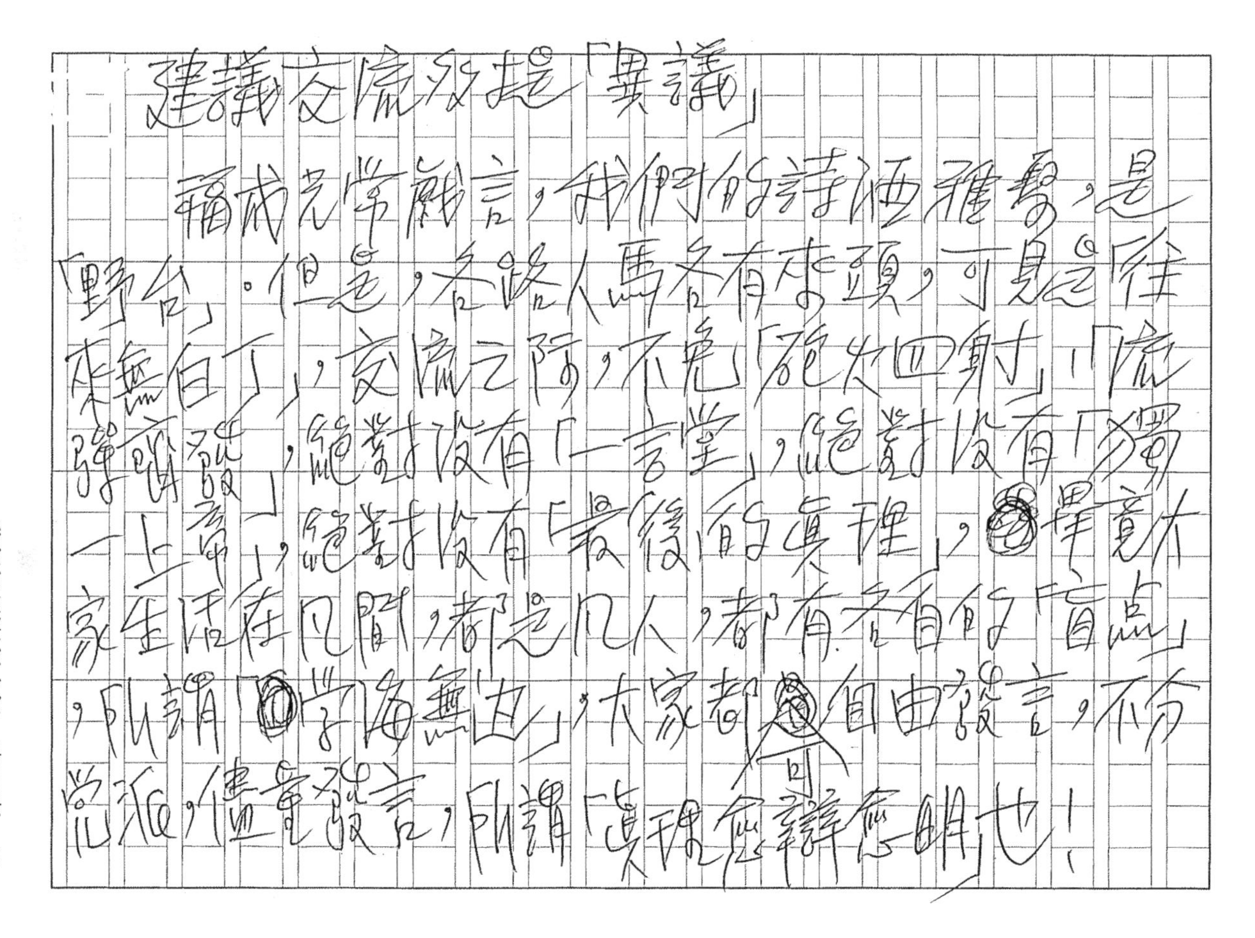

建議交流沒提「異議」

福成兄常戲言，我們的詩酒雅聚，是「野台」。但是，各路人馬各有來頭，可見是「往來無白丁」，交流之際，不免「砲火四射」、「流彈暗發」，絕對沒有「一言堂」，絕對沒有「獨一上帝」，絕對沒有「最後的真理」，畢竟大家生活在凡間，都是凡人，都有各自的「盲點」，所謂「學海無邊」，大家都可自由發言，不分黨派，儘量發言，所謂「真理愈辯愈明」也！

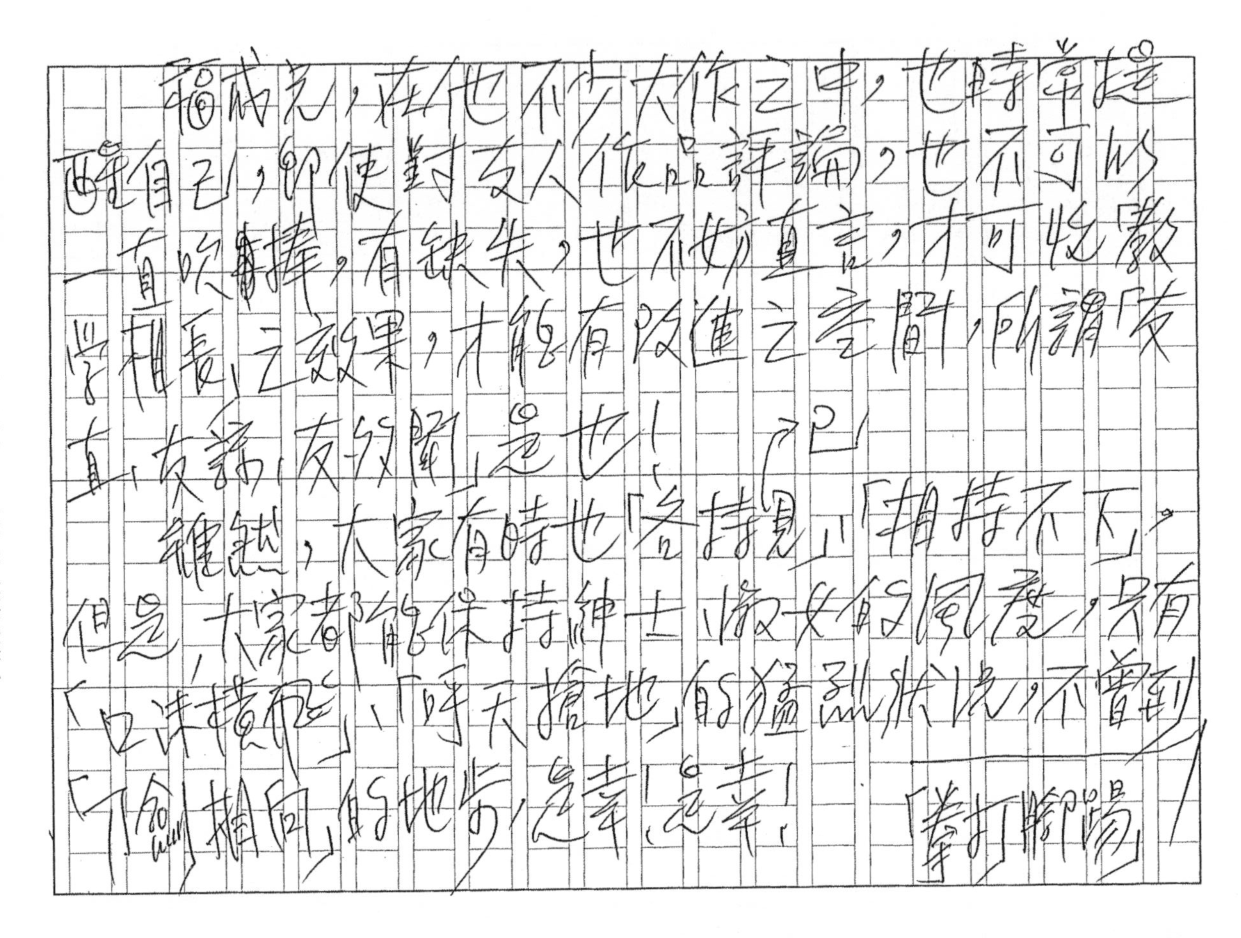

稻成兄，在他不少大作之中，也時常提醒自己，即使對友人作品評論，也不可以一直吹捧，有缺失，也不妨直言，才可收教學相長之效果，才能有改進之空間，所謂友直、友諒、友多聞是也！」已

雖然，大家有時也「各持己見」「相持不下」，但是，大家都能保持紳士、淑女的風度，只有「口沫橫飛」、「呼天搶地」的混亂狀況，不會到「刀劍相向」的地步，是幸！是幸！

「拳打腳踢」

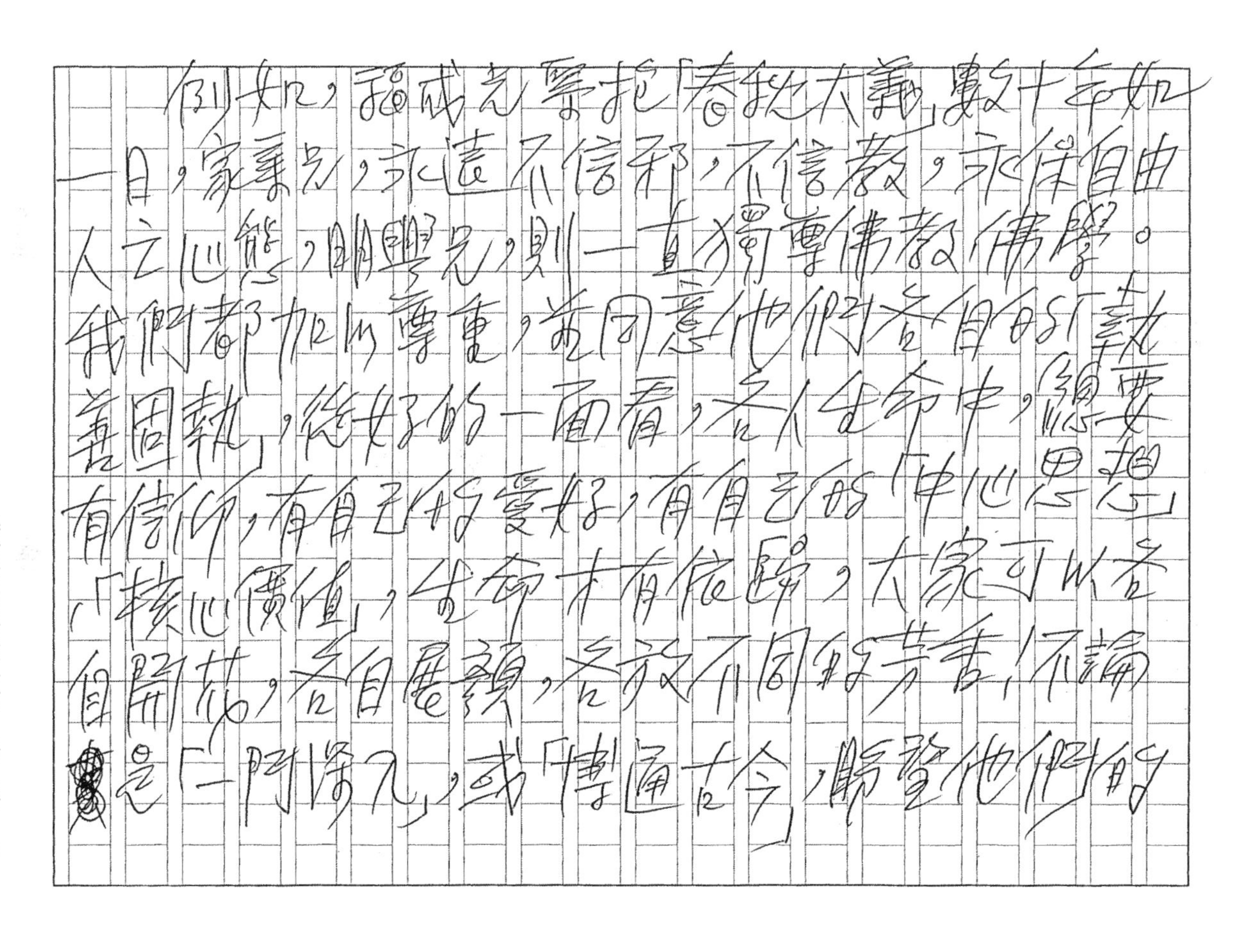

例如，語成兄堅持「春秋大義」數十年如一日，家美兄，永遠不信邪，不信教，永保自由人之心態，明聖兄，則一直獨尊佛教佛學。我們都加以尊重，並同意他們各自的「擇善固執」，從好的一面看，各人生命中，總要有信仰，有自己的愛好，有自己的「中心思想」「核心價值」，生命才有依歸，大家可以各自開花，各自展顏，各放不同的芳香，不論是「一門深入」，或「博通古今」，盼望他們的

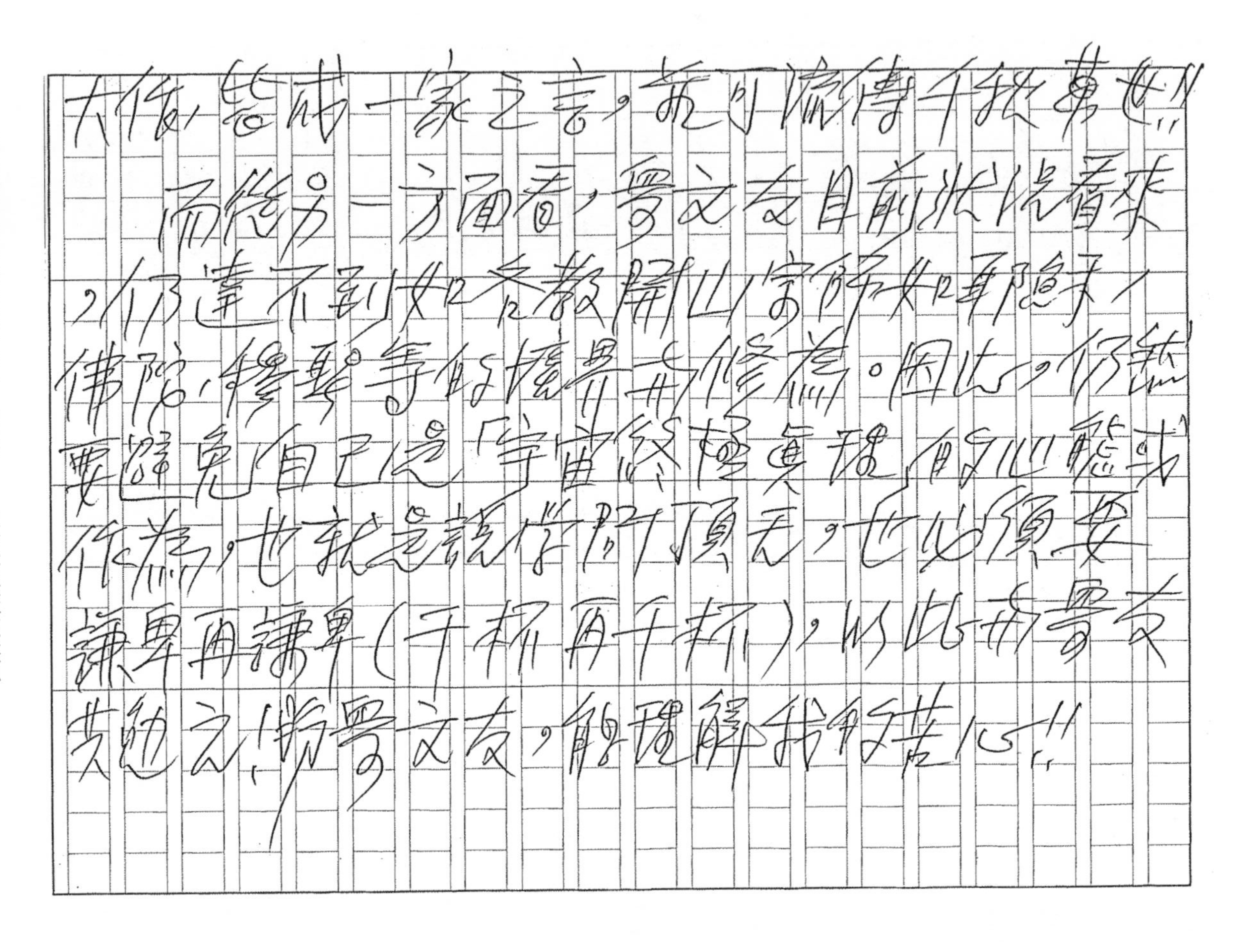

大作，皆成一家之言，並可流傳千秋萬世!!

　而從另一方面看，要文在目前狀況看來，仍達不到如各教開山宗師如耶穌、佛陀、穆聖等的境界與修為。因此，仍然要避免自己是「宇宙終極真理」的心態或作為，也就是說修行頂天，也必須要謙卑再謙卑（千杯再千杯），以此與要文共勉之，尚望文友，能理解我的苦心!!

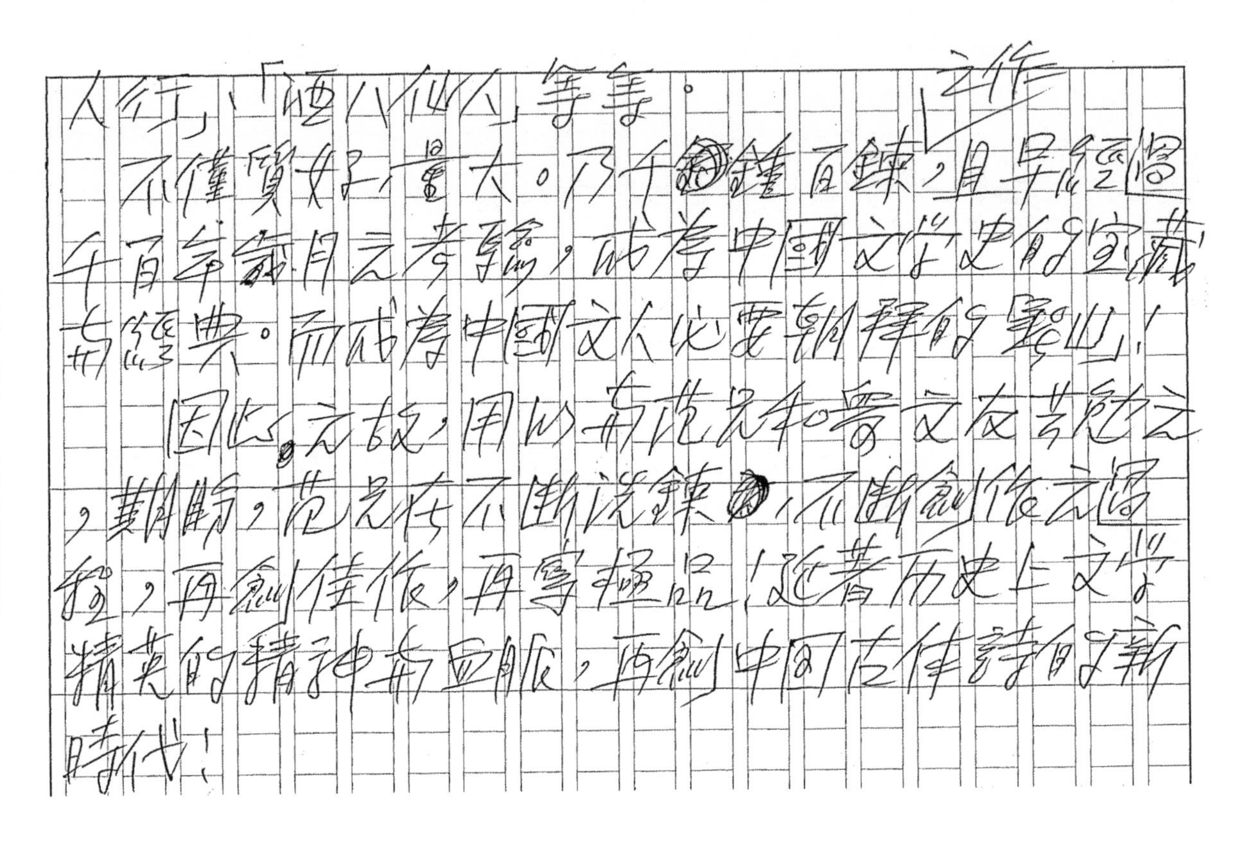

人行」、「酒八仙人」等等。
不僅質好量大。乃千錘百鍊之作，且早經過
千百年歲月之考驗，成為中國文學史的寶藏
與經典。而成為中國文人必要翻閱的寶山！
因此，元哉，用以與范兄和晉文友共勉之
，期盼，范兄在不斷淬鍊中，不斷創作之過
程，再創佳作，再寫極品！延著歷史上文學
精英的精神與血脈，再創中國古體詩的新
時代！

第三章
永不流失的回憶，茉莉

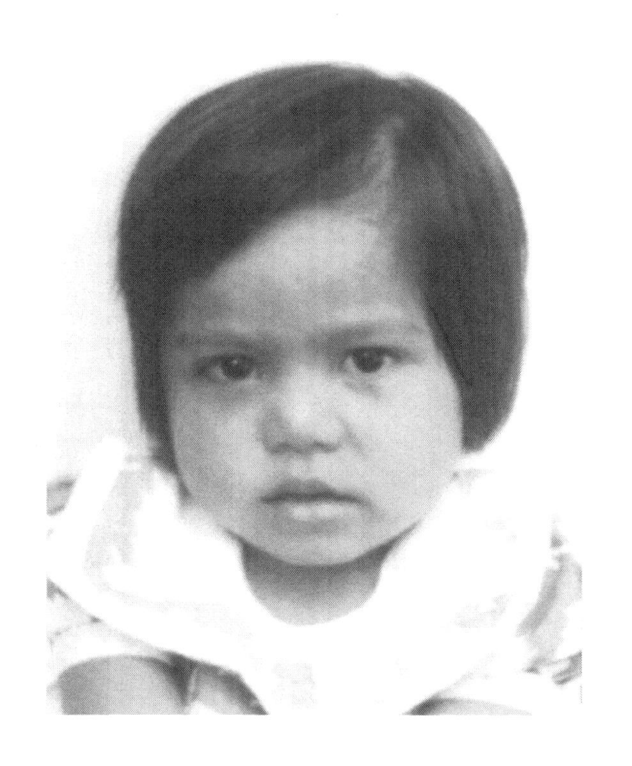

親愛的謝老師，

愛就像蠟燭，它會將我們的方向照亮！感謝您賜予我們的愛！

佳節快樂！

茉莉敬上

Dear Sponsor,

We are pleased to inform you of your sponsored child's development after a year of assistance.

All of these things could not have happened without your benevolent support.

Thank you for being our partner in this endeavor.

Sincerely yours,

MA. SATURNINA L. HAMILI
National Director

Activities participated in by the child/family.

The child is continuously attending the child development session in the area, where she shows regular attendance and participation in the lectures and topics given to them.

In their school, she joined in the parade, as required in celebrating the United Nations Week and participates in the program during the National language Week and Nutrition Month Celebration.

Both the child and her family joined in the project activities during the celebration of the project Anniversary, where there was a tree planting activity, another activity, another activity was the Annual Christmas get-together, where they were supportive enough, thus it made the activity successful.

Her parents show active participation in the meetings, general assemblies, and in doing voluntary services intended for the project.

Child's personal message to the sponsor

Through your Kindness and great favor I Was able to pursue my studies. I pray to God He'll bless you more.

your sponsored child,
Jolie Mae Pety

JULIE MAE RETIZA

676740 / 578

KALAMBU—AN PROJECT
Christian Children's Fund, Inc.
P. O. Box 13225 Ortigas Center Post Office
Ortigas Complex Emerald Avenue
1600 Pasig, Metro Manila
PHILIPPINES

MR. FU CHENG CHEN

June 23, 1997
(Date)

Dear Mr Fu Cheng Chen,:

Good day! May you and the rest of your family are in the best of everything. we are so happy to send you another letter. Hoping too that we will be exchanging letters so that we will know each other well

Julie Mae as of this moment is fine. She is now in Grade I and going to school every-day is what she loves to do. Every evening me or her sister assist her in doing her assignment. She wake up early in the morning for she's afraid that she might be late in going to school. She also attend to her self and can manage to take a bath alone.

Julie Mae can also do light errands at home like sweep the floor and fix the things which was scattered on the floor. She's indeed a helpful daughter to me. I do pray that she will remain to stop by this way.

Have to stop our letter here, until we may write to you again.

WRITTEN BY: MOTHER

In behalf of your sponsored Child,
Julie Mae Retiza

親愛的認養人您好：日安！

願您和家人們萬事均安！很高兴再此信給您。

也希望我們能藉信件的往來瞭解彼此。

茱莉現在很好，她現在唸一年級，每天上學是她最愛

做的事情之一。每天傍晚我們及她姊姊都会幫忙她功課。

她每天早上都很早就起床了，因為她怕上學会遲到。

她現在已經會自己上學及自己洗澡了。她在家時也会做些簡單

的跑腿工作如掃地、整理那散落在地上的東西，她真的

幫了我許多的忙、我也祈禱著她能循此方式繼續前進。

下回見了、

茱莉 敬上

(母親代筆)

1997.6.23

JULIE MAE RETEZA

676740 / 578

KALAMBU–AN PROJECT

Christian Children's Fund, Inc.
P. O. Box 13225 Ortigas Center Post Office
Ortigas Complex Emerald Avenue
1600 Pasig, Metro Manila
PHILIPPINES

MR. FU CHENG CHEN

May 14 1997
(Date)

Dear Mr Fu Cheng Chen :

May peace be with you,!

Julie Mae and the rest of the family would like to wilcome you. We are so glad that you'll chosen her as your sponsored child. Thank you for sharing your blessing, you're such a kind hearted one.

Julie mae sits beside me white I made this letter, she extend sits her warm regards. She was indeed very proud that she already has a sponsor. She told her playmates about you.

Presently, Julie mae is in good health. She enjoys the summer in which she love to play under the heat of the sun. Last May 06, 1997, she just celebrated her 6th birthday. although we only had a simple preparation but then she enjoyed a lot because some of her friends greeted her of course she never forget to thank God for the wonderful life that He gave.

But what about you? We are so pleased to hear pleasant News from you.

Have a nice day!

In behalf of your sponsored child,
Julie Mae Retiza

WRITTEN BY: MOTHER

敬愛的認養人：

願神保佑您 我和家人在此歡迎您、很謝謝您認養茉莉、謝謝您善意的幫助、您真是個大好人。

当我在寫此封信時茉莉正坐在我身邊、她向您問好、她曾告訴她的玩伴說她真的好開心能有個認養人

茉莉身体健康且喜歡在烈日下與朋友一起玩。上月5月6日、她才剛度过6歲生日 雖然只有一個小玩具当礼物 但茉莉非常開心、因為有好多好朋友來參加她的生日。且不忘謝謝上帝說她擁有這麼美好的生命

不知您一切可否安康？ 我們都很想知道您的事情

茉莉之母親

敬上

親愛的認養人：

願您有愉快的一天！

非常感謝您寄來的禮金，總值61.29美元，我用這些錢買了衣服、鞋子、內衣褲，非常感謝您。

學校課程很快就會結束了，下學年，我就要升二年級，這個暑假我會和家人一起過，我必須停筆了。

祝有愉快的一天。

革莉敬上 1998.3.20.

JULIE MAE RETIZA

676740/578

KALAMBU-AN PROJECT
Christian Children's Fund, Inc.
P.O. Box 13225 Ortigas Center Post Office
Ortigas Complex Emerald Avenue
1600 Pasig, Metro Manila
PHILIPPINES

FU CHENG CHEN

February 26, 2000
(Date)

Dear Mr. Fu Chen,:

A pleasaint hello to you my sponsor. I hope you're all Fine. We are doing great here in the Philippines. And I'm thankful to God For it.

You know, I'm glad to tell you that this Coming March will be our Closing exeruses. And I'm very excited because our Summer vaetion will Followed. Next opening of the class I'll be in Grade-IV then. And I'm grateful of your full support. My Whole Family is exteuding their gratitude too. we are proud of you.

I continuously attemding the child Derelopment Session in the Area every Saturday And I have learned a lot From it. I also enjoyed dealing with my co-CCF Children.

Until then. I love you and God loves you too.

Your sponsored Child,
Julie Mae Retisa

親愛的認養人您好,

茱莉向您問候，希望您過得好。感謝非常的保佑,我們在菲律賓過得不錯。

您知道嗎?下個月,也就是3月,就是学期末了,而且令人兴奮的是暑假就要到了,新学期開学後,我就要升上10年級。非常高興可以受到您的幫助,我們全家都很感激您,並且以您為榮。

目前,我仍舊在每個禮拜去參加当地的兒童発展課程,從這個課程,我学到很多東西並且也和扶助中心的小孩們處得很愉快。

我愛您,願主祝福您一切順心。

茱莉敬上
2000年2月26日

兒 童 進 步 年 報

（菲律賓）

＊＊＊＊＊＊＊＊＊＊＊＊＊＊＊＊＊

親愛的認養人，

我們十分高興地向您報告您的認養兒童在經過您一年來大力扶助之進展情形。沒有您的支持與協助，一切均是空談。感謝您熱心參與我們的扶助行列！

兒童姓名：茱莉　　　性　別：女

◎兒童顯著的成長情形：茱莉即將升上新的年級，她想要繼續保持好的名次所以仍舊維持唸書的習慣並且訓練自律，她按時去學校上課而且參加課文朗誦的活動。茱莉在期考及測驗兩方面都得到滿高的成績。她總是看起來乾淨且整齊。她氣色良好，身体也很健康，她關心並且尊重自己和其他人。現在茱莉已經開始分擔一些家務，並且會與別人分享自己的感覺與意見，她很關心家人，也很虔誠的尊守家中的宗教信仰。

◎兒童/家人所得到的益處：扶助中心提供茱莉許多教育補助如：文具配備，書包，學費及其他各種不同的開銷。

扶助中心也幫助茱莉維持良好的健康情形，例如提供她醫療協助，定期健康檢查，藥物服用及口腔檢查。

茱莉的家人也參加由扶助中心舉辦的非正式教育課程，有研討會，培訓課程，及加強能力的演說，如此也可以強化他們的人際關係。

◎兒童/家人所參與的活動：茱莉按時參加兒童發展課程，並且參與演說及話題討論等活動。在學校她參加慶祝"聯合國週"的遊行，也參與慶祝"母語週"及"營養月"的活動。茱莉及她的家人加入慶祝扶助中心週年慶的活動，包括彩繪樹林活動，耶誕節聚會活動。他們都很支持扶助中心，也因此活動辦得相當成功。茱莉的爸媽則積極參加討論會，集會，並且主動幫忙扶助中心的活動。

◎兒童給您的簡函：親愛的認養人，因為您的善意幫忙讓我可以繼續唸書，祈求上帝祝福您。

茱莉敬上

Merry Christmas

第四章

最後的經典寫手：崔述偉

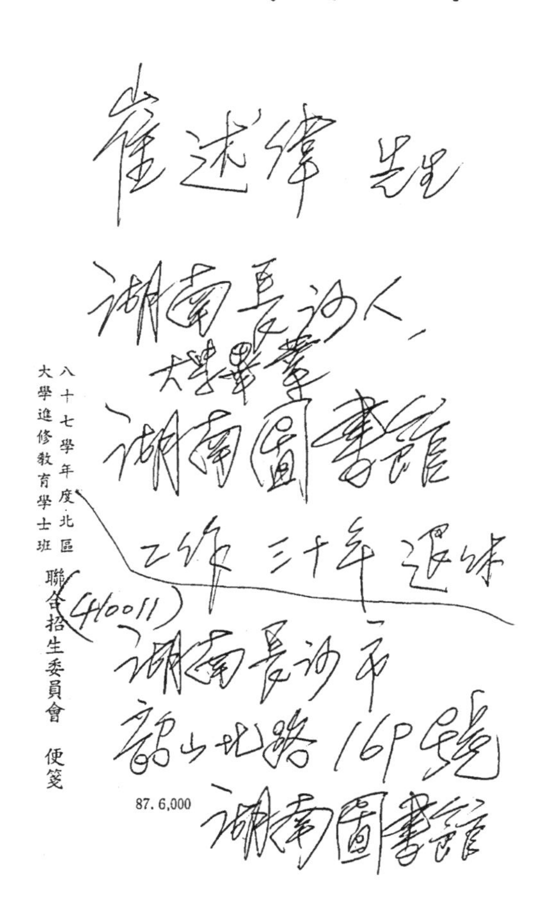

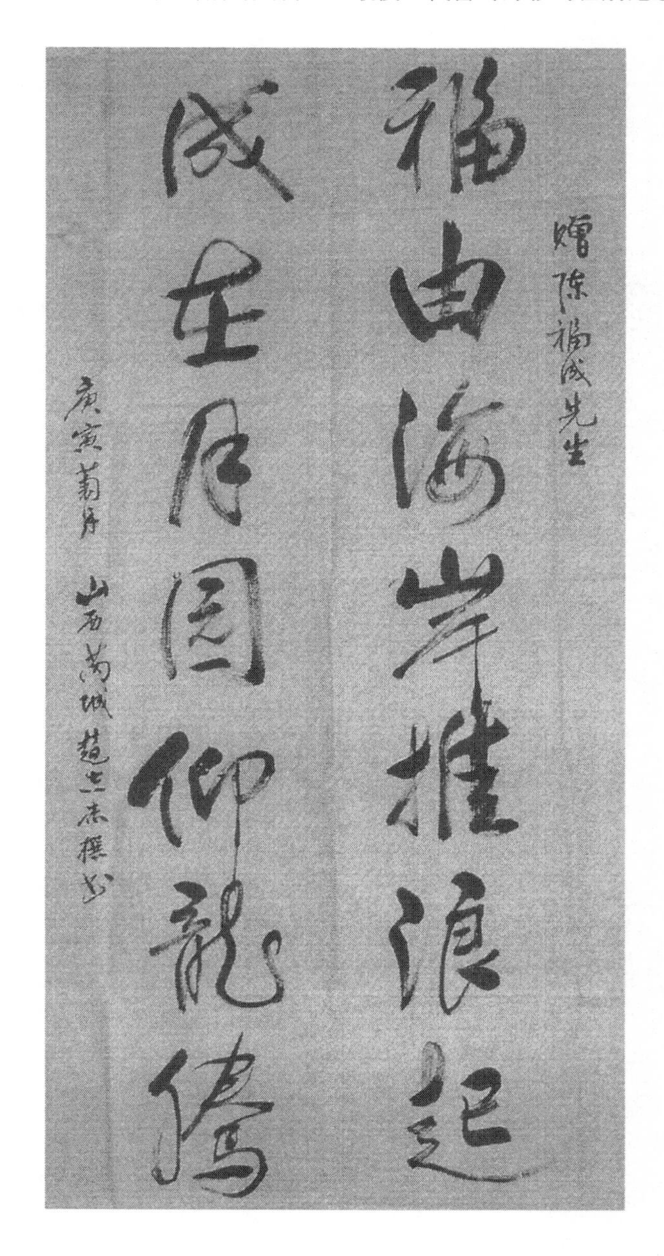
贈陳福成先生
福由海岸推浪起
成在民間仰龍騰
庚寅菊月

曾經"介入"且無悔
——"2016台灣'大選'前後

圖文/崔述偉

我的心戰"文字大炮彈"《終結者-C——秒殺"老倭奴"》終於在元月15日午間，由湖南的民間組織"抗日戰爭勝利紀念網"這一寶貴的平台，向台灣陸續"發射"完畢，了卻了我們一干人、五六年來的心願。

次日夜7時許，眾所周知的結果出來了，CCTV.4 18時播的"海峽兩岸"稱之為"顛覆性結果"。但是知臺灣局勢的"世人"都知道，這是已無懸念的結果，只是沒想到三成餘票，結局之慘。

其實，這沒有什麼。"三敗了就是敗了"。國民黨在中國大陸敗給共產黨，在台灣的議會選舉和街頭政治中，兩次敗給民進黨，都是咎由自取(天亡)。國民黨自成立以來就是派系林立，勾心鬥角的[illegible]，僅在強人威權時代有過一段"兩蔣一致的團結"，而當一個[illegible]"汪逆"汪精衛[illegible]的內奸和二鬼子李登輝篡居大位後，自1992年開始[illegible]情結"推行其去中國化的"台灣文化革命"伊始，至2016年大選前夕的民調顯示："只認同自己是台灣人"者，已由24年前的18%上升至60%(見《參考消息》1.13頭版頭條之一)。

"綠營"之勝，乃其"多年"老倭奴的勝利和多年之願景——李登輝又一次得逞了！

我這個湖南人，雖很是失望，但毫無悔。我明知不可為而執意為之，"以筆作戰"欲置老倭奴于死地，決非是一時之勇、快意江湖。我之"投槍(彈)"中的火藥——都是(沒有槍、沒有炮，敵人給我們造！)的——皆取之於李登輝那"開卷有毒，獨汁[illegible]的新書之中。[illegible](大選前那[illegible]官相沿的政治狂妄書)，實現看清"李著所毒害、麻醉、麻痺的，已近今年的129萬之[illegible]自90年初以來的几代(批)"首投族"！首當其衝[illegible]，導致未能看清李[illegible]——"這種善意的解讀"以來，就埋下了今年國民黨"全盤皆輸"的種子，而"冰凍(凍)三尺，非一日之寒"；

但我們認定，我在拙著(近5万字)之"引子"中宣布(預告)老倭奴"顏李正男"之死相(寫于2015年8月底)，在"慈湖曲終"(大結局)中，細說其"死因"、"死法"是天然、合理，且言之有據，不過以想像的魚力，以補充史實——並還其本來面目。

我之所以徒勞地"介入"，參(留)了"三營"一把(不否)，已無关緊要了。

①

一、缘自"八一五"

2015年8月15日，我"中途入列"，加入了由"抗日战争纪念网"和"台湾中华湖湘文化交流协会"等牵头组织的"海峡两岸湖湘文化学者湖南抗战遗址参访活动"，此在湖湘的大地上"绕了一个圈"，从中受到很大教育。

吾湘吾民，在抗日战争中，双方投入兵力均超过10万人以上的22次大战役中，占了6次会战，且以湘西保卫"雪峰山会战"终结了日寇侵华鬼子的湘潭，并在芷江"受降"，迎来了抗战胜利，及台湾光复。连日本人都不得不服输，并了解湖湘士、民之神圣不可侵犯。而此前，我连我这个生于此湘[illegible]成了那"抗战年代"的"老古董"，都对此很陌生，更遑论今日偏爱网络、手机的几代人了。由此及彼，台湾的"小确幸"（小小的、可以确定的幸福）们，在这又[illegible]李登辉，接受那老的时候，教唆我们在其"终战"70周年前后，在《新·台湾的主张》中的影响和蛊惑也不为怪了。顺便说一句，这个老皇军"日本志士"岩里政男，不仅是一如既往，几十年一贯地"走过"地骗二蒋、骗国民党、骗台湾人民，特别是为他的"首领"，而且还是为了向"我们所有的裕仁天皇、向靖国神社供奉的甲级战犯、[illegible]所谓"玉音放送"（天皇之投降），以表其崇拜"日本心"（他有《我是日本人》之文章）；以及他的侵犯菲律宾，并断后之抗日留兵，而战死的哥哥岩里武则、感谢日本政府将其供奉在靖国神社"，更是为了将此表送给安倍晋三、[illegible]小泉纯一郎等日本右翼政客；为了在他的出生地淡水县三芝乡（现属新北市）修建"李登辉图书馆"，以在其死后，建成"独善"台湾地标，试图成为他这类"台独"的政治地标和"墓志铭"。

笔者知道，在神圣的抗日战争期间，中华民族也曾出现过"降将如潮、降兵如毛"的投敌"附逆"之怪现状，以及数以百万计的皇协军、二鬼子和汉奸、民族败类。

但却认定当代的、高层的最大汉奸，非李登辉莫属！

因为从阳历（而非阴历）7月开始，就不断（从传媒中）得知，他的媚日、卖台、反中的一连串（系）鬼话，甚公开承认"他曾是日本人"——而且是跑到东京去说的。

于是，我写了《我这大陆百姓的是非观》，投给台湾新闻理会的《国是评论》杂志认为李登辉终将被钉在历史的耻辱柱上。

5月20日下午，我在常德汉沃国家森林公园"抗战战场群"遗址，跪祭奠了我出生前，即已作古的伯父。他是中国赴缅远征军第二○○师（戴安澜部）上尉排长崔述贤。而我自己，则是"古稀"前的"狼年马月"，不逢时地，在"鬼子（日）进（长沙）城"前降生于"危围城"，未满月即成为小难民，遭受过途中失亲之苦存者。故而，我与生俱来地痛恨日本鬼子，蔑视汉奸之无耻。话此而言，我有国恨家仇。所以，在8月下旬，随参访团一行返回长沙途中，就有了"再写点文字"的初衷，并写下了《终结者·C》这个标题。

（"回放"、"穿越"至千禧年夏天。台湾《湖南文献》刘鹏佛经理，来湖南图书馆访问，及查阅馆藏资料。之前，我在地方文献部文献征集组时，于1996年曾受命写信与他联系，补充湖馆缺藏之该文献，双方已"飞鸿交往"5个年头。但却是初次见面。刘先生带了两册新书分别送给我和另一位工作人员。但后者对他送的《李登辉执政实录告白》不屑一顾，说"我只对孔人感兴趣"，并将此书转送给我。）

我在阅读后向刘鹏佛博士说："请你帮我去查查李登辉在2000年以后的"年表"复印了寄给我作参考。"并在家中找到上述书籍。

"大阅兵"翌日，又陪同刘博士等6位前来返台的客人，参观了长沙影珠山抗战遗址公园，进一步确定了《终结者·C》这个选题，及"神幻魔实小说"之类型。在9月6号，刘博士一行回台湾后，我开始动笔，且也写进"谋篇"的（插入：此前，刚完成刘主编的约稿，写完"……抗战遗址参访纪实"的流水账——请见《湖南文献》2015年10月号拙文《一个人的纸上抗战》。）

"事非经过不知难"，且真正动笔后，更觉"书到用时方恨少"。15年前的那册书不仅过时，而且大多是"受访者"本人自吹自擂的"口述记录"。而"历史是胜利者的谎言"，何况李登辉在此后已变本加厉地走得更远。

因为众所周知的原因，有关李氏的书，是"被封杀"的——如同希特勒《我的奋斗》及蒋介石《中国之命运》般——湖馆没有关于李登辉的书籍，我只得从《参考消息》、《环球时报》中去搜寻李的蛛丝马迹！

这一不得已而为之的"零敲碎打"，既有利（时与便）亦有弊，令我无奈。

幸而，刘博士在10月中旬给我寄来《湖南文献》第四期时，在邮件中附有一册《李登辉与台湾的国家认同》，刘是中国文化大学的历史教授。他觉得作者（蔡石山）以徐缓温和的全面事实，我得以从另一侧面了解了些，并作了些补充，使其成为可以参考的史述中。且在这一世纪中开始对台湾问题的由来，和李登辉从小受到全盘、完整的日本教育，以及他九十年如一日，大量阅读日文书籍有所知晓。这种殖民教育（他家又挂有"日本国语家庭"的牌子），以及在台湾人中仅占很小比例的"二等（准）日本国民"的待遇，可以有较多的配给券，可以"官卖福利"，他的父亲和哥哥都当了警察，管制其他台湾人。使他在少年时期，及青年时代，完完全全被"塑造"成为一个日本人，且以此为荣。所以，他在校时，参加了日本人办的"剑道社"，学习武士道"忠诚"，自告奋勇当特攻队选手，去打"白之丸"，并还向东京方向遥拜裕仁天皇。而当日寇攻占南京时，他竟手持灯笼参加祝捷大庆，并视天皇为"神"……他这辈子只有一次想去中国，也仅仅因为原任过台湾总督的日本大将，改任"满铁"总裁。他非常崇拜后者，甚至以不知耻地将自己的学位与之相比。他在集中了日本最优秀的人才的帝国大学读书时，日本较量也，李登辉通过台湾这块"跳板"侵占东南亚和南亚各国后，已成"强弩之末"。他与其哥哥"岩里君"兄弟（其父在40年代初改名岩里龙男时，两个儿子也都改名为岩里武则（"兴国化"）和岩里政男，而当时台湾550万人口中，改成日本姓名的，仅7—11万人！），皆"踊跃"志愿投到日军，其兄由做警察变身为"日本海军特战队员"，更有甚者的是李登辉不惜中断学业"投笔从戎"，当了一名日本本土防空军的少尉。

如果说，接受奴化教育（他的日本教师曾说"仅用两三节课，就讲完了中国历史"且称出了免的结论，而其高足李登辉，则"胜于蓝"——有过之而无不及）让李登辉换了"骨"的话；那么从他披上"皇军"鹰犬皮时，则"脱胎"为真正的日本人。怪不得，在日本战败投降了以后，他还认定自己22岁前是日本人，抛出无耻的"日本祖国论"。在他们的眼中，台湾连同钓鱼岛之类是属于日本的了——

总之，看了这本（在中国大陆）罕见的"李登辉传记"中文译本后，我得知了"岩里君"兄弟的"来龙"，可怕的是，其父其兄都叫岩里名男，怪不得在受到回到"李登辉"这个中文姓名后，为经70多年中国台湾省的水、土、米的再养育（22岁前，他也仅在日本生活过不足2年时间）这个速度"15（成一两次、获了12枚日本文架）都已完全"去中国化"的傀儡，仍然死硬地、顽固地（花岗）岩"般，难以矫"正"过来。

怪不得，新党主席郁慕明说："台湾有一个李登辉，就是这一个日本人，当了12年中华民国总统……"

《参考消息》、《环球时报》等，也以较多的篇幅，报导了两岸“在抗战胜利70周年前后以及台湾光復（10月25日）的不同情况，而笔者则从去年夏天以来，更为关注“两岸”之大不同，以及台湾的民族正气受到打压，媚日、後殖民及民粹“媚日卖台、反华之辟邪”“邹某（？）嚣張之[illegible]现状。反而刺激了我的民族正义感，坚定了我“匹夫来救中国”之心之情，写出自己的作品来。

二、寻找“突破口”

我的目标是早已（在动笔之前）即已锁定了的，甚至早在“序言”中间，看到那本“告白”以及“前政党总统”的受益人陈水扁，为该书所写的序“人民的力量挡不了挡”后，就确认了李登辉与阿扁的“父子”——“教父和之子”的关系。总之，

所以，我在序言中，就判定了李登辉的死刑，而且死得很难看。这是一种中华民族对民族败类的诅咒，也是一种愿望。此人以90多岁早就该死了，很多人都认为，他若没坐上大位，台湾不会是今天这样子，中国的统一就会顺利些。但历史没有“如果”，现实的情况是他“老而不死，谓之贼”（含义：狭者也觉得他不仅卖国，而且偷生苟活，速速为善）。

那时，离台湾2016年大选还有几个月，如果他死在大选前夕，肯定让那些乱哄哄的闹剧（令台独分子们）悲情，反而大出一口郁气——因此台湾也还很迷惘。信“兆头”——我是多年前从[illegible]的《我们台湾这些年》中，得知1996年大选前夕，《一九九五年闰八月》一书，引起伯应的“推背图”等“预言”所谓的“中共会攻台”，而沸沸扬扬的，而作者某人，曾是8·15后与台湾方面专访团偕行。我也曾听过他在座谈会上，慷慨激昂，且不打标点地“预言”一番之内，中间必有一战——

当然，我既非政治人物，亦非历史学者，只不过是一位退休“百姓”，不想哗众，也不能“取宠”，充其量只是图个“一吐为快”，泄泄一下愤闷，如此而已。

但李登辉绝非等闲之辈，而是个只有蒋经国一个人敢用他的人。这是国民党“警总”的特务头子，在他入仕前几年，连续一个多星期，每天10几个小时，对他进行心战、讯问后，无奈地用台语（闽南话、福佬话），在他耳边嘀咕了、切切地说出来的，还有“我们可以像捏死一只蚂蚁般弄死你”。但李登辉只是检举、告发海外的台独分子，绝不承认他有二心。而且他当面对反对党“文正[illegible]”说：“中国没有资格来管台湾”，为国民党护航、拉票，从而博得了蒋经国的信任，几年一个坐稳[illegible]，也成为“一人之下，万人之上的至储”。

那段日子中，所能的照片上，他对蒋经国之谦卑状，真如此日本人还有过之而无不及。而且，除了“总统府”挑选以外，大部分照片当年源于“日本李登辉友”及“康奈尔大学

"李登辉基金会"可见，他一直是通外国，获得美日反华势力支持的。

更何况，他尽管早在千禧年即被国民党开除，但他透过林荣，却至今仍可享受
"卸任总统"的优待(很丰厚)。他活一天，谁都不得"断"他的报求，还要派很多"护卫"和
随侍人员保护他。台湾虽有很多想他早死的人，而且不会没有能耐的人，但就是
动不了他。自1972年至今44年间，看似有不少机会"搞掉他"，但始终没搞掉。
这个满口汉奸言论、鬼话连篇的老贼，不仅是奇迹、奇葩，也是台湾政治的一
个"神(鬼)话"。

所以，我只能以幻想来"结果"他的老命，结束他的神话或"传奇"。

我多次、反复从上述两册关于他的书中，寻找"机会"和"突破口"，再找到他的七寸
一击毙(送)命。但我却也有自己的原则，不可以"暴力××式"的方式方法去"杀死"一位老人。

刘博士在10月中旬，从"两岸地政速递"寄来的文献，大部分没寄给我。他所附的
另一册书及资料，曾一度去向不明，直到11月23日，才被送到我手中。而这本书是我
十多年来第一次看到的"李登辉时代"的"李著"，实乃"开卷有毒"，独计"两(四)戏"。其直是
不得地是抄台独"李登辉时代中"之恶毒手段。远远超过了笔者董了。多年的人生中
所见过的"毒草"之总和！实可谓"其毒无比"，而且他在8.15终战纪念期
间，西部，短短两个月内，"统一成多划"。可见此书已成为台独"圣经"及"教科书"。这个
老贼，曾在日本投降后返台之初，从一个"赖嗨"(在台湾兵回政府的经历)，投机"左倾"，去台共
外围组织中"胆学到革命手法"，加之他从自身经历中，深切体会到文化及舆论的
不可估量的力量。所以他要一直"工作到死"，且以此书教唆今后的125万"前后投佬"，
支持对50年代以来的几届"前后投佬"进行"重塑"。

实话说，这是一本令我血脉贲张、不忍卒读的毒书，何况我也没有时间去细读
那些鬼话，我只能从中"挑一些毒汁"，用于我自己的投枪、匕首，"以毒攻毒"，尽早
"结果他"。虽说我无法干涉台湾大选，但我这一个草民，也要"介入"选前造势。

可能如同"精神病"大夫，"走"多了病人般，我也有点迷信了。但我没想到，

李登辉突然"小中风"了。而且那段时间，王金平的拉心幕僚也猝死，莫非"天
灾决策神明"？多次阻扰，竟然开始应验？我受到鼓舞，且为近两东不
知"被"地下笔也顺畅起来。但愿"天佑中华"助我除此奸贼。⑥

一个《新台湾的主张》毕竟是他"不打自招"的梦呓，内心"独白"。但鉴于其毒，亦能反攻其心，摧毁其以根日本支架，让他"梦"！不！！我不能让他这么随便死了就死了，我一改前之的想法，总算是成；

我要让蒋经国去杀他，向他讨债，而且"解铃还得系铃人"，只有蒋经国杀得了他。总之，他既不能"赖活着"，就要让他不得好死！

三、史实加想象（推理、补充）

而蒋经国要除掉李登辉这一"独瘤"，只能基于他生前的一个内念。在后者的"告白录"一书"掌握权力的继承者"中，李登辉回忆起"前一年的十二月二十五日，蒋经国坐着轮椅出席中山堂的国大宪政研讨会，反对党在台下拉白布条抗议，对蒋经国造成极大的刺激。当时李登辉在第一排，亲眼看着蒋经国垂首不振的形影，已经发现他的身体状况非常严重。"笔者认为，这是李登辉"客观地描述"，但他心中不可能没有多种猜测和想法，不可能不想到自己在这一步迫近时该怎么做的问题。所以，这里应是权力交接（没有两人面对面的正常亲密"政治程序"）的一大"漏洞"，从而可以挖掘，可以推理，甚至不乏想象的空间。此乃其一。

加之在"见证"一书中，很多资料都显示，在李登辉由一个农业专家（技正）进入政坛前后，从"蒋系"到国民党的很多重要人，都对他的忠诚始终深表怀疑。特别是在成为"王储"后，以及蒋经国逝世，权力出现空白或过渡时期，不少接近权力核心的人，都对这匹半路杀入的"黑马"心怀不满，想取而代之，甚至想杀手除掉他。

国民党从大陆败退至台湾后，为了稳固这一最后的反攻大陆、复兴基地，而秉"政经反共"的政策，同时为了平息"二二八"后台湾人民的不满，并为了让"迁播"至一个与中国大陆隔膜半个世纪以上的陌生环境的国府"合法化"，还采取了一种"催台青"的政策，即"不问出身（有无留日乡练）"地选拔（批发），扶植大地提拔台湾本地人才，像连战、王金平等人，都是那种政策的受益者，当然更是鱼龙混杂，而被蒋经国那"不慧的眼"相中的李登辉更是后来居上，连一些"外省籍人"都要巴结逢迎他。

1988年初的

個事实是，冬官有部前总长"郝柏村"，曾於掌兵权多年的强人，有宋美龄的

相（逆）"亲见"，仍然改变不了已惰之田村（台湾）出现人民的"地头蛇"老傀奴逼的

年经营的局面——"国家认同"一书中，有表格显示，1993年时，台军中的中、下级

军官中，台湾省籍者，已是超过"外省人"，同样在那段时间，台湾省籍的国民党员，也

超过了"外省"籍，无怪乎，有美国人由此而得出结论：台湾已没有军事政变的可

能。因为"兵变"主要靠兵的主体人数，而当年那些年轻的中、下级军官和士兵，

都是读着李登辉的《台湾的主张》成人的。

与此相链接的是，1996年第一次"民选"至2016年大选，共5代"首投族"

也都是读过"主张"和"新主张"的，民进党的"文盖"，更令国民党望尘莫及。

虽然李登辉在16年前即已下台，但他的学生、弟子和信徒遍布台湾，他仍可

以"代表"台湾发表所谓"新主张"，为政权轮替提供理论指导和舆论

准备。

笔者在阅读前述几本李著及相关书籍中，最深刻的印象，不是他那些

罄竹难书的独言，而是他只字不提"去中国化的文化革命"（中国大陆革命

初，在本世纪初，以此为名，详细报道过此事），只字未提到日本的侵华战争

和日本在战争中的掠夺罪行。当安倍内阁"拜鬼"招致中韩各国谴责

反对时，"独"有李登辉出面，感谢日本首相"供奉靖国神社"，甚至还

"不满"明仁天皇没有相应行动，"建言"皇后去拜鬼。可见，李登辉是个

至死不悔、不渝的，比（大多数昭和年代的）日本国民"更日本人"。

而台湾民粹主义和事，就在于他有市场，有支持者，和"台籍"这些块

"招牌"。这次蔡英文能打败国民党，还要靠李登辉的那本"新著"，和给

她"支招"，试问，蔡能否代表台湾的第十五任总统"全台"，请问其家乡出身，出入于

美军基地——一时可以给李老傀奴半块"军功章"！

⑧

最后的"介入"

半年来的"民调"，一直显示国民党败局已定，连续与若干人领导的

(8

小金刀早在9月份就说过"大选——已无悬念。"但台湾抗战史的民间草根们仍然路见不平，拔刀相助，将两岸湖人8.15后参访关东"纪念册"印制出来，托11月底去参加抗日胜利纪念活动的人士带给台湾朋友，以补充"正能量"。

笔者就是那时才得到"小金刀"的。当时正苦于前述(两周前)资讯"过时"、"缺枪少炮"之际，李登辉抛出的"歪把子机枪"，正合了我们印"以及"敌人给我们造"这句抗战歌词。枪对准我们一扳，炮打出也上膛。并且，——

在12月初，向"抗战纪念网"总编辑侯学事先生求援。我曾在此前，托他们向台湾传送过我写的"小说简介"和引子，请台湾朋友们"转发给"蓝营媒体。但到此时，对方表示，事情没有开始时想象那么简单。李某人至今还在耗。拿着去大陆骂"老汉奸"，怎么都行。但在台湾若骂他死……似乎不妥，甚至可能招致"绿色恐怖"之暴力。我当然理解他们的处境和无奈。但并没有回头箭，反而激发了我们明知不可为，而偏要为之的执拗劲。

踏入2016年之初，临近"冲线"时，笔者原(选择前)单位几位年轻人以及"抗战网"的副总侯留轩等几位"同志"，开始帮我打印文稿的出版，我和侯副总分别校对(他还帮着修改)。这些急难相助中，青年人的支持，不仅让我感动，也激发了我的灵感和文思。之前，侯学事先生去外地时，问我"分文能不能发(给台湾)"？我就是在被逼(困扰)时，写出了(大结局)"慈湖曲终"的那件"中正剑的奥秘"的。两天前，我设计出李登辉之弟"岩里武则"联手对付蒋经国去世之后的情节时，如何去影射出"中正剑"和(蒋经国接班)暮气"秉王大劫章"等细节。但远在慈湖"两蒋陵寝"的中正剑，怎得闯入负过重的李登钦(日本海军陆战队员)又怎么拿得了远在台北市政府博物馆家中的李登辉呢？我一直想不出来。但写了以后，终于将这把"中正剑"改成式(70年)"升级"，成为一枚好用的"公民武器"，具有防身护士巡航、导弹的双重功能。最终还是"秒杀"了老汉奸。这是又一个"13秒"半调大"。⑨ ⑨

2016年1月9日19时许，由"抗战纪念网"向台湾方向"试射"的两枚"飞弹"，即为"终结者·C——郑尔卷 倭奴"的开篇（含"内容简介、人物、引子"）和"慈湖曲终"（大结局）这"两弹"，以首、尾对应，让读者、网民一见端倪。

次日，唐智辉先生差前，又发了一次。

但台湾方面均无回音。我虽理解，但也无奈。

而1月6号提前出版的《湖南文献》P95上，已刊出预告"崔湘伟先生大作终结者C……于二〇一六年一月十三日纪念日刊载在台北抗战纪念网上，欢迎大家参考。"

形势逼人，时间紧迫。我们箭在弦上，不得不发，只得在约定的时间，将反复校正过的引子，再加上"枪榴弹"补偿金的由来（第一章），和"大结局"发给对岸另一网站，略免失败。这一次，对岸回话了"已收到，并转告刘博士。"

1月14、15日，我都不得不"反客为主"地，在"抗战纪念网"请他们中四、五位年轻人，分别或同时帮我打字、校正"大结局"。而当时，唐副总正带着这些年轻人，在人人争一件更为重要、具体的实事——年初岁末"关爱抗战老兵"，送温暖上门的公益活动，忙得不亦乐乎。

抗战网是一家民间、公益网站，是一家通过创新人事的文创及教材编印所获得的利润，来支撑其（上述）公益活动，且不收费的网站。我在最近，才逐渐了解他们的难能可贵，并由衷地感激何、唐两位，以及他们网站的年轻人。

但我仍是一个不满足于现状（已做的事情），想在写作上"与时俱进"的人。14日以来，我还认真地看到台湾《新新闻》周刊上（1月7—13日）报导"马英九……"后，顿时觉得他也是在"绝地反击"，并非"银样蜡枪头"。为此，我又即兴地写了一段。点赞他以"球门"身份迎上滚来的足球，反奔一大脚，将足球踢回对方后（方）半场——因为台湾政论家"林浊水"评论马英九的"出招""看起来合理，却会造成天下大乱。"——台湾的"天下"，与对岸神州的天下相比较，不也是"井口大的天"。这是我的私下看法。世界、地球都是平的，但大陆和台湾同属"中华民族"这一大片天空、陆地和领海。

当然，我又不得不麻烦"抗战网"的一位年轻人，帮我边打字，边校改了。

⑩

1月15日经得知[illegible]已回台后，顿时感到又有了"主心骨"，即去他办公室汲取一些一个抗战[illegible]因为他们都是我审轻。

但[illegible]正在开会，我也只好[illegible]的。唐智轩散会后，与我将[illegible]一直磨合到凌晨2时许，才将，才将拙著全文第一次梳理完，终于由唐智轩亲自向台湾方面全部发完了。总算是在台湾大选前夕，也就是没有失信于人，了却了我们的一桩夙(sù)愿。

我不知道唐智轩是否有"如释重负"之感，事隔几天后，我查清人"阐述"后才知道，16日上午8时许，他仍在努力"完善"拙著的排版。我很欣慰。

我自己的感觉中，有一点怪怪的——觉得自己又回归成为一只蚂蚁。因为，自己人微言轻，硬说是"介入"，就如台湾俗语"蚂蚁子打哈欠般"——好大的口气！但湖南人，遑论真的生活在我以外，我多的也都有些与生俱来的正义感。

台湾前行政院长刘兆玄（笔名上官鼎），就是一位60年代武侠小说作家，18岁少壮之年就写出《沉沙谷》这样的杰作，更是天下奇才——金庸更是盛誉："台湾——我最喜欢的作家，第一是古龙，第二就是上官鼎。"刘先生去年仅以几个月时间，就写出了《雁城谍影》，以此纪念其父参与"衡阳保卫战"及其光荣[illegible]，受到人们好评。

而我近年来却几乎不看小说，但在撰写拙作过程中，因自己对武侠和功夫一窍不通，不得不从前年所得的刘氏系列武侠小说《王道剑》中去搜索，并未征得著者本人得知，而（感到）借用了一些文字段落，用于"终结者C"。并借此文适向刘先生致歉、志谢。我相信，他一定会以他的"最高境界的手术"——王道剑，作为反制"武士道"克倭制胜的"冷兵器"的。

从这种意义上说，"中正剑"亦是"海归(15)"们使之现代化打造的。

去年，我曾到《雁城谍影》中，看到刘先生对蒋介石的"不敬"之语，觉得他与马英九有异，也有同，更为直率。但"两蒋"时代的"去日本化"和在台湾推行中华文化的回归，毕竟[illegible]出刘兆玄和马英九等500多位"武侠小说"作者，以及4000多部作品……可叹可恨的是，却被李登辉、陈水扁之流的"去中国化"而几乎"覆盖"。所以，让李登辉和"东王大觉"一起[illegible]去吧！

(11)

选后"斗"来了（洁卑语）

台湾"大选"后仅两、三天，"马王斗"再起；民进党中的"大佬"开始联合国民党中的本土派，开始了"卡位"、接收战。台湾仍是树欲静而风不止。

海外已故的知名历史学家黄仁宇说过"中国的转型期"长达二、三百年，现在仍是非驴非马阶段。而台湾这块被日本强行割据、殖民半世纪的小小"岛省"，有李登辉这个日本豢养出来的老[illegible]奴，老"独"[illegible]人还在，心不死，又开一段"倒车"，也不为怪。

笔者认为，中华民族在迎(赢)来了几百年未曾见过的富裕和强盛，正处于复兴和崛起之强劲头上，那一小撮逆历史潮流而动的反华小丑，能够"螳臂挡车"？

中国民主革命的先驱(民国国父)孙中山先生说过"革命尚未成功，同志仍需努力。"今年离孙中山逝世，尚不足百年。国民党在台湾这块"老祖宗留给我们的土地"上，也许又得再次"八年抗战"。

让我这个大陆老百姓"向他们说：只要贵党不"去中国化"，我就为你们喊"加油"、光复！

——这是我自去年8.15以来的心路历程。

2016年1月28日於台北

夜看CCTV-4"海峡两岸"，说马英九登上太平岛，且向老美[illegible]"，我再次为他点赞（但说我曾在书中说过，他是"[illegible]"）。

1月29日上午10时收

⑫

第五章
詩人王耀東的書寫身影

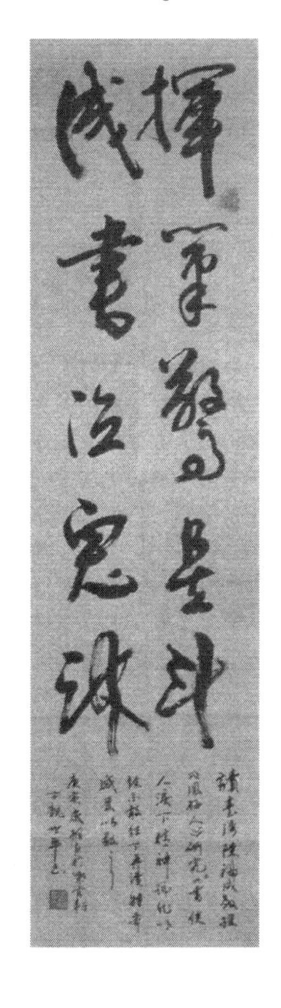

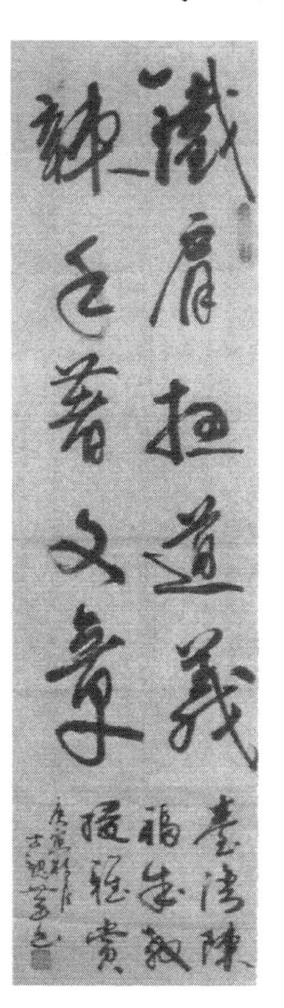

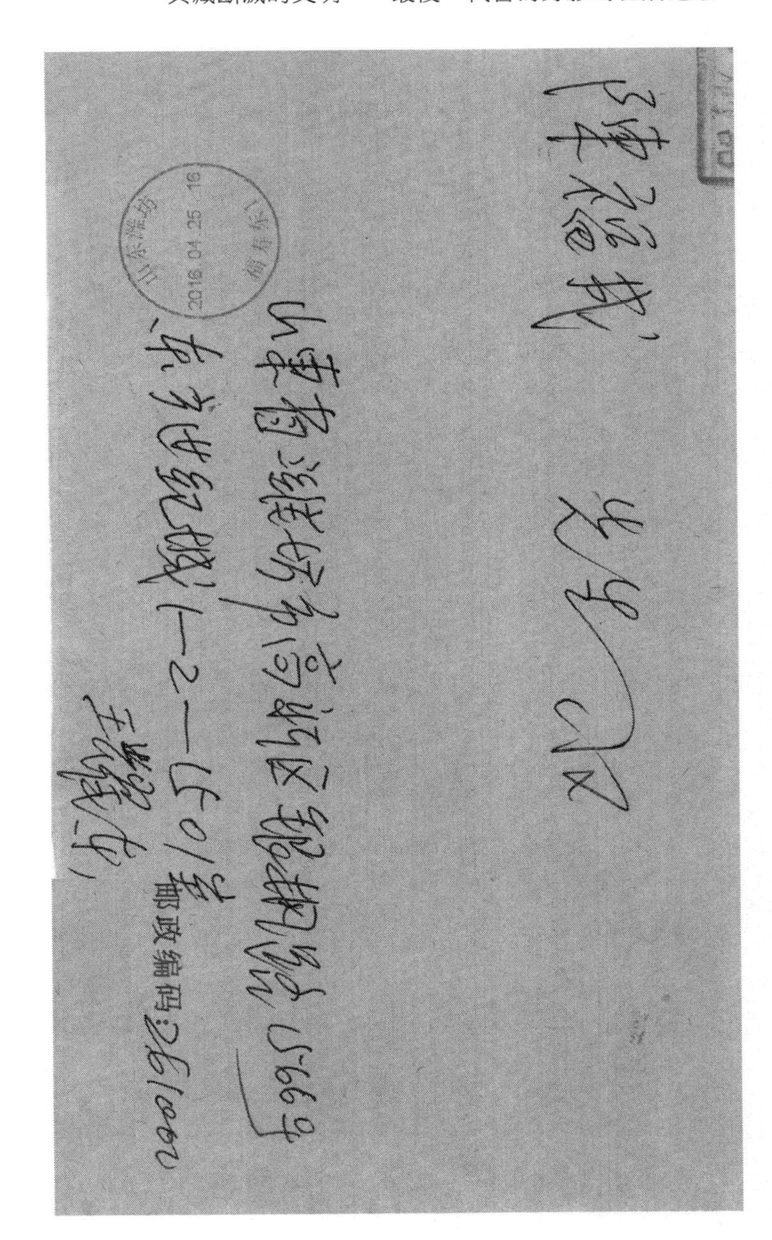
郵政編碼：

中国国学诗书画研究院

CHINESE NATIONAL STUDIES POEM CALLIGRAPHY AND PAINTING RESEARCH INSTITUTE

陳福成诗人、诗评家：

您好！

首先谢谢王学忠诗人，是他最近将您的大著《中国当代平民诗人》一书寄我，我们才认识您。其实在"世界诗坛"也发过您的诗"诗，唯一的知音"估计也是您。不然不会这么巧！

从《平民诗人》一书中，我发现您研究王学忠的着眼点比较切入实际，抓住了现代诗的核心。诗人必须要"有最强烈的使命感，是诗人诗品与国家兴亡、民族兴衰捆在一起，真诚直接关

中国国学诗书画研究院

CHINESE NATIONAL STUDIES POEM CALLIGRAPHY AND PAINTING RESEARCH INSTITUTE

注意国家发展方向与社会整体利益。"

"真正做诗，是把广大的人民群众联在一起以民心为我心，替人民立传了。"这话字字见血，切入诗的命脉。用这个角度看诗看王子出，他就有了时代价值历史价值。可惜大陆诗评家不少人偏离了这个核心"就诗说诗就丢去了诗的命脉感、时代性。

您的序中还有一句话说得太重要了、太漂亮了，"提起你的笔、揮

中国国学诗书画研究院 3
CHINESE NATIONAL STUDIES POEM CALLIGRAPHY AND PAINTING RESEARCH INSTITUTE

直你的脊梁，以真诚、尊敬的面对这个世界。"这个信对诗人来讲还是肯定精道，有了它才会有惊天动地的辉煌篇章。

王耀东是一位走出泥脚的草根派诗人，长年坚持写了不少著作，反响的确不错，并得到了评论家们的肯定。从他诗集的名字中就可透视出他的着眼点和挖掘点，他诗集"沉静的土地"和我一本诗集相似，我那本集子叫"不流泪的土地"都是写乡民的气质和胸襟，

中国国学诗书画研究院

CHINESE NATIONAL STUDIES POEM CALLIGRAPHY AND PAINTING RESEARCH INSTITUTE

4

在中国这个几万诗人大军中，这样高眼之选者，的确不多。

您在"王学忠诗规现实主义诗论集"中的些观点进行了展示，并谈了你的看法。在中国历史上，写农诗者称为田园诗。现到了现在这个社会仍把它归为乡土诗或草根低诗人，从字体上说，平民诗人、打工诗人，草根诗人等，都有根基上的一致，都是呼民心情，为民意，以民之本性。说学忠是"战士型诗人"，实实是讲诗人的战斗性格和姿态，可与假恶丑誓不两立，也战到底。这就是作为真与支奋中诞生的战士精神！所以我比较讲，诗就是诗，只有内容上有点区别，从史学上看，读是灵魂中金字塔，它每层越高常越历史的可读性越强。作为一个诗人，"鼓动的心只能化作诗句／诗给读听，写给读者"她呀！是我这一辈子的／唯一的知音。"

你在此文第十二节中认为我"把王学忠说成乡土诗人，並不恰当。"主要根据乡土诗缺乏王学忠诗的震撼力。从震撼力上看诗的感染

中国国学诗书画研究院
CHINESE NATIONAL STUDIES POEM CALLIGRAPHY AND PAINTING RESEARCH INSTITUTE

6

力是对的，最近去信嘱一个出了诗的第五华

郭先生。他们两个的诗的醒悟，才是近几年

少有的现象，证明他们的成功于为民请

说话，真诚地发出了自己的内心，于是才

获得了民众的欢呼，从此可以看出：诗

只有回到人民的心灵，使人性获得

释放，才是人间好诗的第一要素。我们

你们的信中透视出的观点，在这个观点

是一致的。只于对于内容的分类，并不

是关键因素。

我这几年很少写诗了，主要是工作

中国国学诗书画研究院
CHINESE NATIONAL STUDIES POEM CALLIGRAPHY AND PAINTING RESEARCH INSTITUTE

7

有关系，十几年来，我在北京人代会编务
较多，处于工作需要也去点画，写点字
作为应酬。诗偶尔为之，前些年一位
老诗人给我发组诗给她，我便将
十几年前写的一组"陶罐"寄给
了她。同时我爱人又选了二首发到微
信手机上那想到点击率迅速上升到
上千人，于是又转发到网上，一下传到了
海外华人诗圈，你们台湾也有评说，
有些评说竟然在微信上发来发去
此事对我冲击很大！也不是我的

中国国学诗书画研究院

CHINESE NATIONAL STUDIES POEM CALLIGRAPHY AND PAINTING RESEARCH INSTITUTE

8

诗兄您好，八月佳节！今将你寄我发的一个帖寄给看一下，请批判一下，我把你给王子兴的话再写给您，这是我对你的一个评价：

你是那朵最鲜红的血色浪花

你是那最醒的灵魂英华！

如果您需要再看一些我的另外一些书，我可随时寄给您！

来自田野的你的

的不知名的诗友

[illegible]

2015.8.25

中国国学诗书画研究院

CHINESE NATIONAL STUDIES POEM CALLIGRAPHY AND PAINTING RESEARCH INSTITUTE P1

福成诗人：

您好：转眼两个月过去了，还未抽出空来给您复信，真不好意思。原因是我从北京基本上搬回山东潍坊市风筝都。我在十年前背一个挎包去北京搞文学活动被朋友收留了，所以一住十几年了，我也老了，就下决心落叶归根了。在我临来的前一天还有朋让我看他的家，让我去住，有活动场地，有工作间，一切很好，也没

中国国学诗书画研究院 P2

CHINESE NATIONAL STUDIES POEM CALLIGRAPHY AND PAINTING RESEARCH INSTITUTE

留给我。十年我的收藏是壹车的书籍、诗集、文论集。别人看来我是一个傻老头，这些书报小人看，还不如卖废纸。然而我还是爱书如命！陪着一大车书回到老家。到家拾掇拾掇，又是一个月。终于喘口气了，才坐下来复信给您。

您来信附寄的二本书，都是到大陆山西老家等书寻根来了，洪洞县被您们以独特的视角，发现了诗情

中国国学诗书画研究院

CHINESE NATIONAL STUDIES POEM CALLIGRAPHY AND PAINTING RESEARCH INSTITUTE P3

诗意，有些有趣的故事，传说，也被他们写出了新意，诗都是有感而发，不是生搬硬造，有一种神通神遇之感，风格是豪迈婉约的，富有想象力与谐趣，读起来可爱可亲，清醒的使人意识到祖国秀美的山河和心灵相呼应相撞击，有一种到火焰中捕捉火焰，到大海中捕捉浪花，用一种探索的心灵去开掘古老的民族文化，直面现实又不回避民族的磨难，这是难得的一种

中国国学诗书画研究院 P4

CHINESE NATIONAL STUDIES POEM CALLIGRAPHY AND PAINTING RESEARCH INSTITUTE

学诗之路。您信上说的对，吾国历史上任何朝代的好诗都不能背离时代和人民，只有与民族、与人民相依为命，才能爆发出永恒的火花。家骅也是这的实践。

王学忠我在十几年前就开始读他的诗，写过诗评，他一直处于生活底层，与苦难的民众在一起，所以读他的诗感到有一种真切和沉重，他的诗是用一种苦难的生命换来的。

中国国学诗书画研究院

CHINESE NATIONAL STUDIES POEM CALLIGRAPHY AND PAINTING RESEARCH INSTITUTE P5

不久前他到北京办事，给了我一个
电话，我冒着突然而降的大雨坐
一个三轮车找到了他，交谈了一个多
小时，他有一个农民的真诚、诗是他
的生活，总是在拼命的奔跑，他农
民心有诗的境界、有艺术上的升华
尽管官员不认可他，人民喜欢他
他的诗是自己身上跳动的鲜血，是莹晶
的泪珠，发烧的诗句。我相信，

中国国学诗书画研究院 P6

CHINESE NATIONAL STUDIES POEM CALLIGRAPHY AND PAINTING RESEARCH INSTITUTE

他的诗是有生命力的。经研究他
评论他在大陆有一定影响，您的支
持与经费对他的知名度起了良
好的作用，为此，我觉得他有一
种诗的广阔天地，不论主题，思想
或意象都有一种时代性和历史性，是
站在历史的高端，以挑战的心态
面对现实，有一种鲜活的生机。

其实他诗还有斟酌之处，我
也当过兵、打过仗，并曾越过了文

P7

红枪的年代。我是一个苦孩，我曾描写过自己"我是乡间一棵，马踏牛蹄蚊子咬，几场风霜身上落，春雨一场芽又冒。"我也当过[illegible]，进过五七干校。诗走过了大体三个阶段，一是60年代战士诗，二是80年代末的乡土诗，（乡事一诗影响国内外。三是新世纪后的隐逸诗"（实际还是写乡土，只是更意象化一些）。

中国国学诗书画研究院

CHINESE NATIONAL STUDIES POEM CALLIGRAPHY AND PAINTING RESEARCH INSTITUTE

P8

他谈的“真正一个诗人(包含各类艺术的创作者)其人品作品如何一定要和自己的民族文化结合在一起,融合在一起……文人的灵魂,没有民族的精神不会康强,他们相依为命,才能爆发出火花,任何一方都不可忽视。”这是诗人成功的契机和奥妙,一定以此为命脉,创新和发展自己。

因为搬家搬出了点学问

中国国学诗书画研究院

CHINESE NATIONAL STUDIES POEM CALLIGRAPHY AND PAINTING RESEARCH INSTITUTE

P9

我发现我有二十多年台湾和海内
外诗人的来信，其中不少大家例如贺敬
之、臧克家、唐湜，也有台湾的痖弦
（有一二十年书信之交）
詹冰等，我可选出二三百封大家的
手迹。这里也透视出不少诗的亲
情、大视野、大哲理，和会长的
知遇。我想抽时间整理成一本
书。不知可否！

两岸文化一家人。二十年我和

中国国学诗书画研究院 P.10

CHINESE NATIONAL STUDIES POEM CALLIGRAPHY AND PAINTING RESEARCH INSTITUTE

台湾纪弦、洛夫、张默等台湾诗友交往有联系，今天又多了一个新朋友，我是真心实意感谢王学忠。

寄上二本书，急急忙忙写了上面一些无用的话，只是顺心顺意而已，没有了慎思考。别见笑，多批评。

祝

大安

王耀东
2015.11.25.

作家专用信笺 P1

Writers' Special Letter Paper

福明老师：

5月5日来信在浙江收到。那时我也回北京，还有些事要做。

"三世因缘与云亭"很好，我已看过，说明您是一位有心人、将朋友写的墨宝珍藏并出版。我一位朋友也

作家专用信笺　　　　　P2

Writers' Special Letter Paper

同您一样，将收藏的20年

随书画出版。东北华侨出版2003年

底前，可以将十分珍贵的翰墨

宝。我也想出一本，

《翰墨真情》正在筹备中。

自古诗书画一家，对于文人来

讲，十分重要。您通过笔墨子

作家专用信笺 P3

Writers' Special Letter Paper

东坡画，纸如竹子很好。

东坡字，也很飘亮。不少

是古手笔，例如东坡的字

从结构到用笔都很有功

底。我写的毛笔字，仅是一种

爱好，称得爱好，谈不高深。

我的字画，在美国展出时售

了三张，5000美金一张。一张

作家專用信箋 P4

Writers' Special Letter Paper

"長城"由此被比利時國王子收藏，給了一萬歐元。在國內一般3000元一平尺。

如果台灣也接納我，可給他們五本之手版發表。

陳述錢黃上海讀學時聞太先了，這位學者嗎？而且也力評，同時寄去，我有一本評論集、"論文和魅力"

作家专用信笺　P5

Writers' Special Letter Paper

如沒有，寄一張我〃看看。

去年我已出版一本名家的

集。現在還有一本新詩論

集在修改，約十多萬字，如有錢

再說。此種書，不能給出

版社帶來經濟效益，他

們不要出版，只能自費出

送〃朋友。玩吧！

作家专用信笺 P6

Writers' Special Letter Paper

請保重身体，完稿後一

併聯繫。

祝

大安

王[illegible]

2016.4.25

第六章
即將絕世的書寫身影

古民詩弟：

記得6月15日是你的生日

我生病沒有下山，

以自製的生日卡

謹代表「秋水」同仁

祝你

生日快樂！

大姐

2007年6月11日。

親愛的 福成 詩友

為了圓「詩屋」的美夢，雖然我們歷經了許多的困境，卻也在困境中深切感受到詩友們溫馨的摯情；如今在百多位詩友的贊助之下，歷經三年心血的打造，「秋水詩屋」終於美夢成真了。

我們以充滿感恩的心情來舉辦「詩屋」落成的慶祝茶會，在詩屋的二十樓「頂樓交誼廳」，邀請詩友們來共享這欣喜的時刻。大家歡敘之餘，還可俯瞰群山環繞的大台北盆地，西望蜿蜒的新店溪，東眺高聳的101大樓。

站在夢想的頂端，讓我們一起為詩，為美好的人間，繼續努力吧！

時間：二00六年四月十六日〈上午十時至下午五時〉
地點：新店市北新路一段293號16樓之7〈新店市公所捷運站大樓〉
〈懇辭花籃〉

秋水詩社　敬邀

龍鳳傳人就是我，民族振興我來做；
龍鳳精神已崛起，振興中華有成果。
佳莉創作 爸爸提詩
2016.元.3.

天長地久不可能，佛在我心就能成；
天長地久
千年佳緣
人生短暫非久長，找到佛性才永恆。
佳莉創作 爸爸作詩 2016.元.3

TAIWAN 郵票 POST 郵便はがき 舊山線旅站

新年快樂

勝興車站

402.326

Dear. 爸 & 媽
山線鉄道有曾经的历史意義
天氣很好!! 在苗栗DAY 1
順利　　by 佳莉

To: 陳福成 & 潘玉鳳
Add.: 116 台北市文山區
萬盛街　　号
(02)89311097

臺灣世界遺產潛力點－臺鐵舊山線　　舊山線十六份驛　　舊山線十六份驛

從苗栗縣三義一路蜿蜒至臺中市后里區，沿線經過兩個車站－勝興與泰安舊站、三座鐵橋－龍騰斷橋、鯉魚潭橋、大安溪橋與八個隧道。
潛力點範圍：臺鐵舊山線鐵路橫跨大安溪南北兩岸之苗栗縣與臺中市兩縣市境內，全長約15. 9公里，沿線兩側之緩衝區面積約128. 29平方公里。

We ♡ our home
SG 50
JANUARY 2015

SINGAPORE
26 JAN
SINGPOST

1st Local
Singapore

1st Local
Singapore

Dear 父親大人母親大人

新加坡是一個小而精緻
多個民族又有強烈風情
的國度，一切井然有緒，
但又不會太過擁擠、拘束，
希望您們身体健康
平安快樂

Your Son
牧言
Jan 24 2015

Impressive

To
TAIWAN

台灣台北市116文山區
高盛街　　號
陳福成先生

Distributed by Impressive Publisher Pte Ltd & Printed by Impressive P

　SF-49

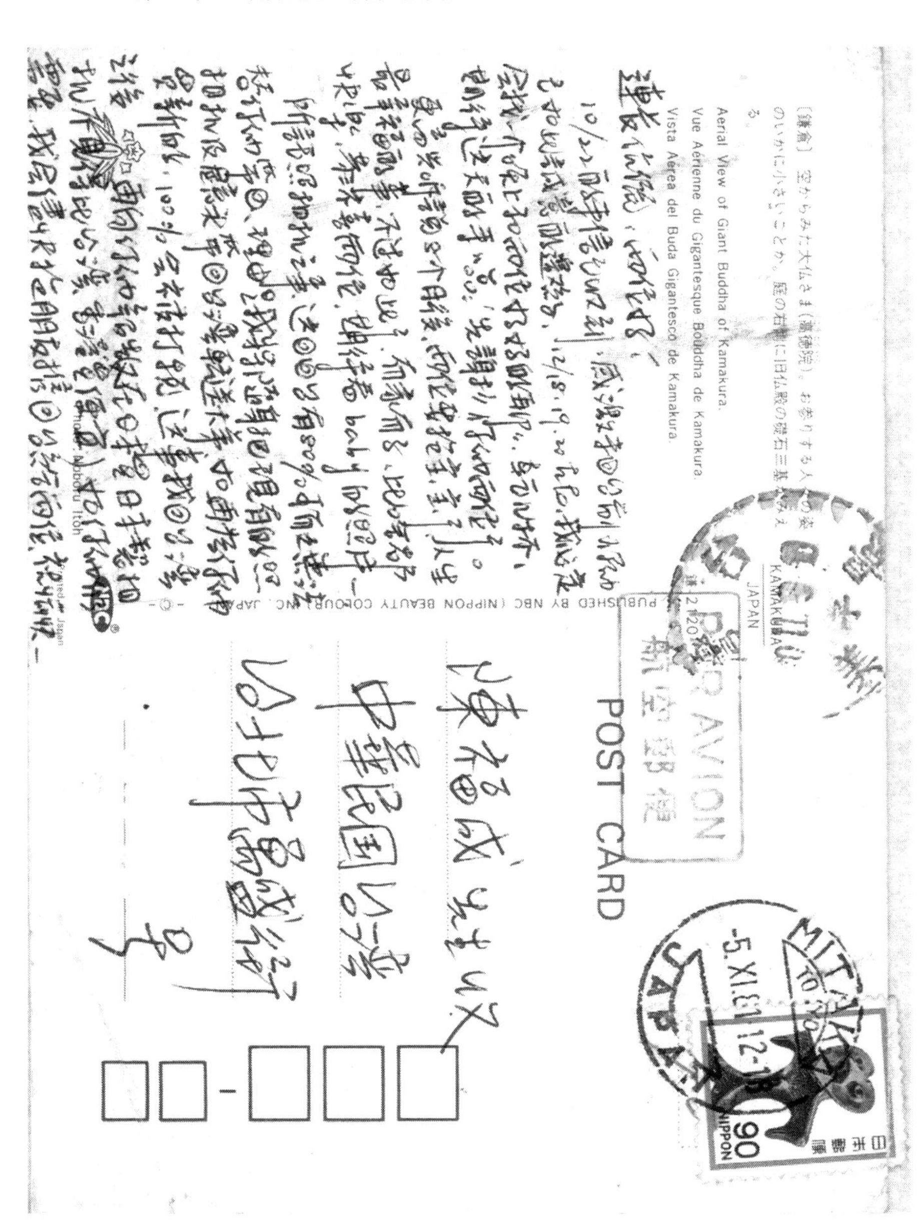

HALLSTATT 511 m Seehöhe
am Hallstättersee gelegen, mit Jahrtausende alter
Geschichte "Hallstattkultur"
Salzkammergut, Österreich, Austria

Dear. Dad & Mum,

Here is Hallstatt.
a very beautiful town
in Austria.

Miss you. Sun

April 2016

PRIORITY
PRIORITAIRE

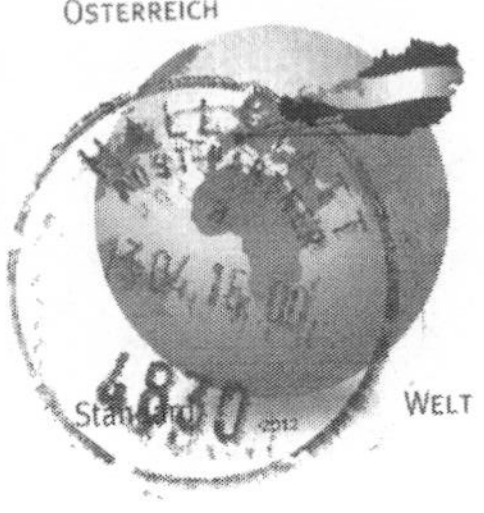

… KARTEN · A-5541 Altenmarkt 74 · Tel. 06452/5035-0* · Fax DW 14

(To) TAIWAN

台灣116台北市

Foto: Erwin Trampitsch

HA13M

Greetings from Amsterdam
Prins Hendrikkade

PRIORITY
PRIORITAIRE
postnl

NEDERLAND　NEDERLAND

© photo Lieuwe J Zander | www.rekopublishing.com | www.thehouseofpictures.c

Dear 父親母親,

阿姆斯特丹是一個美麗的城市,房子都不高但有造型,這兒曾經是東印度公司的總部,曾經荷蘭世界霸權之一呢

Son
April 13
2016

To TAIWAN 台灣
台北市116文山区
萬盛街　號
陳福成&潘玉鳳 收

Wien · Vienna · Vienne · Viena · Wenen · Beha · Bécs · Wiedeń · Biennh · ウィーン

Dear Dad & Mom,

Here is Vienna,
once, the capital
of Europe.

Son
April 15
2016

To TAIWAN
台灣 116 台北市
文山區萬盛街
號
陳福成&潘玉鳳 收

Festspielstadt Salzburg
Salzburg - the Festival City
Salisburgo - la città del Festival
Salzbourg, la ville du festival

Dear Dad & Mom,

I am in Salzburg now,
the hometown of
Mozart.

Miss you.

Son.
April 12
2016

© Edition Murenwald bei **Colorama**
Bilder: Hansjörg Murenwald
Bestellnummer: Mu 17

Colorama · Tel. (0662) 84 08 99 · www

SALZBURG
ID: 3
12APR16-11 55
5010

BAR FREIGEMACHT
POSTAGE PAID
ÖSTERREICH
AUSTRIA

000170

PRIORITY

To TAIWAN

台灣116台北市文山區
萬盛街 號
陳福成&潘玉鳳 收

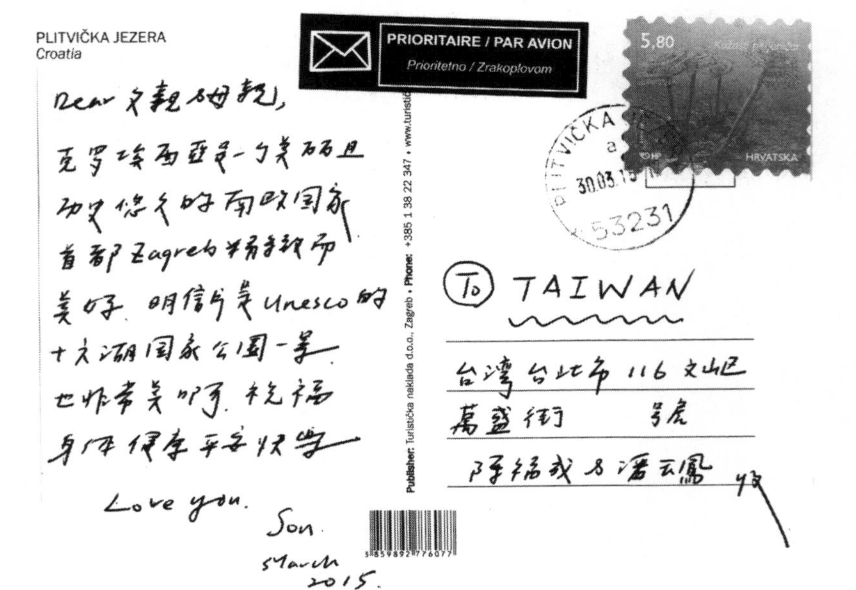

PLITVIČKA JEZERA
Croatia

PRIORITAIRE / PAR AVION
Prioritetno / Zrakoplovom

Dear 父親&母親,
克罗埃西亚是一个美丽且
历史悠久的南欧国家
首都Zagreb精致而
美好. 明信片是Unesco的
十大湖国家公园一景.
也非常美丽呀. 祝福
身体健康平安快乐

Love you.
Son.
5 March
2015.

5,80
HRVATSKA

PLITVIČKA
30.03.15
53231

Publisher: Turistička naklada d.o.o., Zagreb • **Phone:** +385 1 38 22 347 • www.turistic

3859892776077

To TAIWAN

台灣台北市116文山區
萬盛街 號
陳福成&潘玉鳳 收

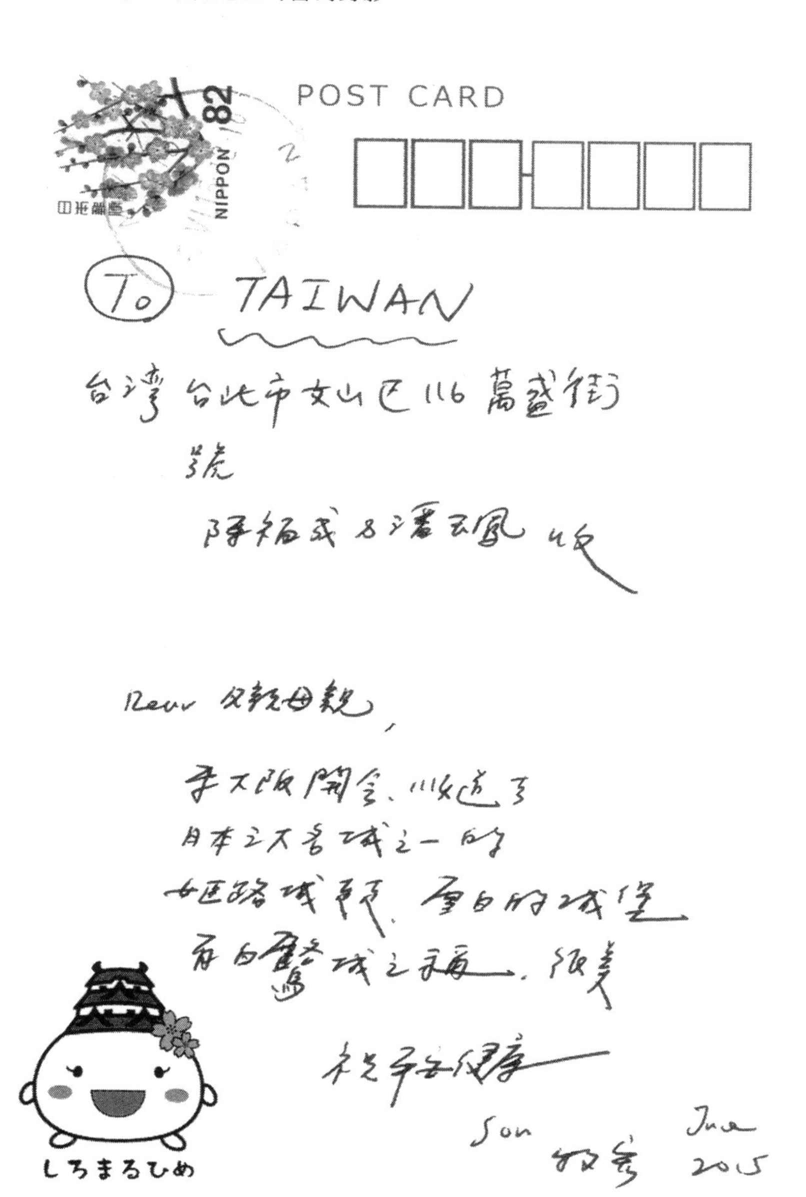

82 NIPPON 日本郵便

POST CARD

To TAIWAN

台灣台北市文山區116萬盛街
號
陳福成&潘玉鳳 收

Dear 父親母親，

來大阪開會，順道至
日本三大名城之一的
姬路城參訪，雪白的城堡
有白鷺城之稱，很美。

祝平安健康

Son 敬上 Jun 2015

しろまるひめ

Dear 爸爸媽媽、

這是鎌倉大佛！

中秋快樂

Son
[illegible]宏

◇鎌倉大仏◇

温顔微笑し給う阿弥陀仏（国宝）は、高徳院の本尊であり、1252年の造立で青銅鋳造である。
総高13.35メートル、青銅仏身11.312メートル、仏体重量121トン。

KAMAKURA DAIBUTSU

The bronze statue of Amita-Buddha.Daibutsu or Great Buddha was cast in 1252 A.D. by the sculptors. It is a nationai treasure of Japan.

感謝！

為同學付出

帶給彼此間情誼

與健康人生

林鐵堡 敬賀

我要傳給 陳福成 理事長

傳情時間 5/5 (二) ③

傳情地點 台大退休人員聯誼会

祝福您

健康快樂

吉祥如意

俊歌

2015新春快樂

新春頌語

捧著歲月的辛酸
步向光陰的那一端
點燃　未竟的不變意象
穿梭於 101 的天空
羊羊得意的開始
酡紅紫綠的滿天煙火
飛舞世世生生的蝴蝶　彩姿絢爛
越過艱難辛苦
追尋永世深遠的　夢境
切盼未來的韶光
更美麗　更開花
我默默的祈禱
祝福·　為您

陰雨霧霾，吵吵鬧鬧，口沫橫飛的日子，終於馳騁過去。甲午年雖然有許多不如意、欠理想，仍令人戀戀不捨，畢竟那是我們走過的光陰，去了不再回來。翹首期盼乙未年，夾著春的訊息來到，四季輪轉，花開花謝：潮起潮落，歷經歲月悠悠，讓我們的詩，溢滿春的草香，一片明媚的視野，展現希望。一年來，感謝您的 愛護 信任 鼓勵，一路相挺，鼎力之德，義薄雲天，沒齒難忘。謝謝！

金筑·謝　炯
江樹鑾鞠　躬
2015 春

敬愛的福成義兄：

深深感謝您！

好高興、又感動！又建啟！

文芳敬上

104.10.20

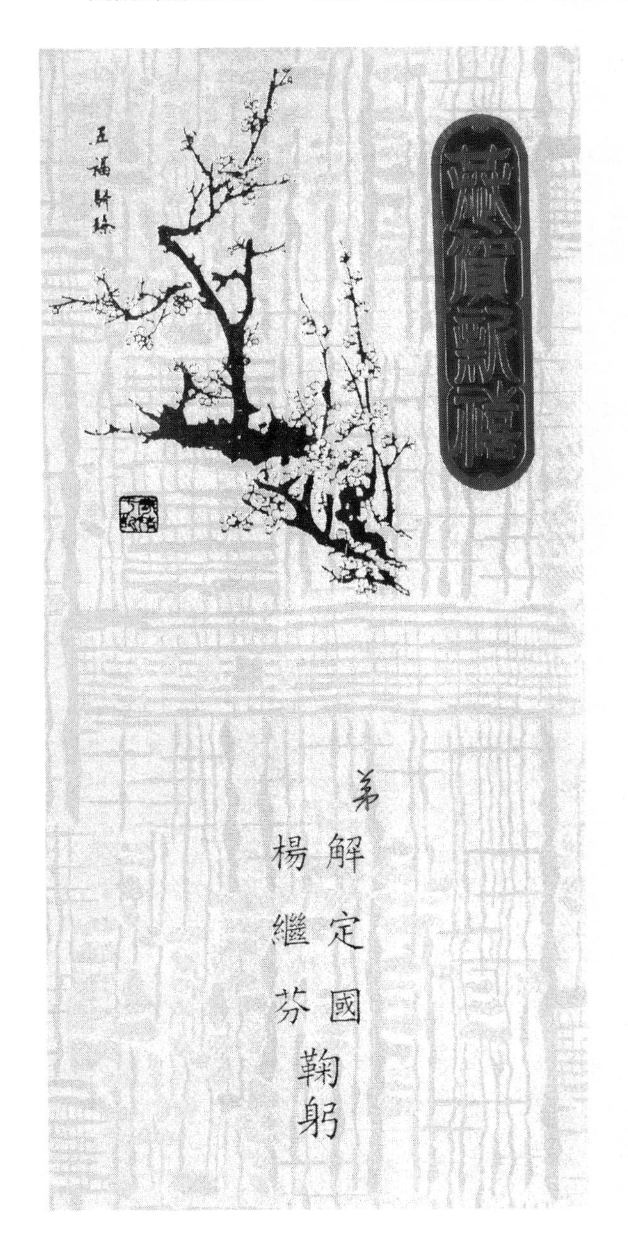
恭賀新禧
五福駢臻
弟
解定國
鞠躬
楊繼芬

福成學弟：新春好，龍年大吉 闔府歡慶，幸福如意健康！

大作已收到，大公學長信已奉復，文采並茂，十分敬佩。

我腿傷已好，全家大小託福健康勿念。

恭賀新禧

Happy New Year

鍾祺
定芳 敬賀
十二月廿八日

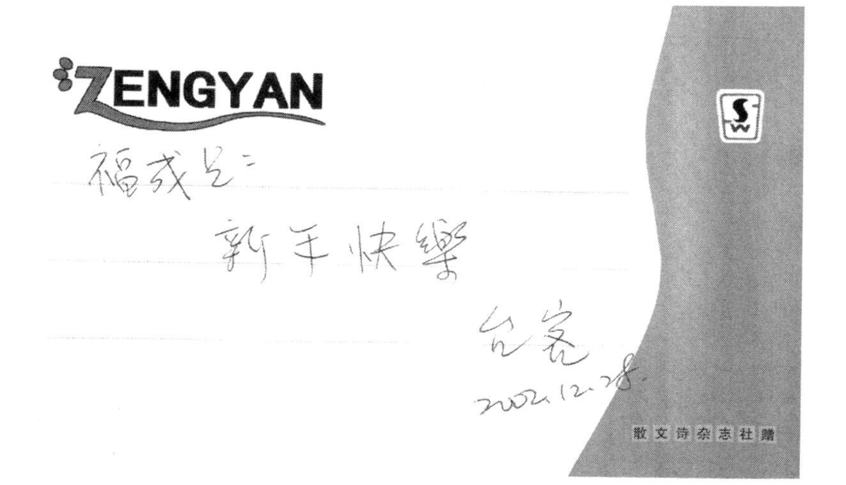

ZENGYAN

福成兄：

新年快樂

台客

2002.12.28.

散文詩杂志社贈

Schweiz/Suisse/Svizzera/Switzerland
Bern, Bärengraben
Reproduktion einer Lithopostkarte um 1900

PAR AVION LUFTPOST VIA AEREA

1.80 HELVETIA

妹夫、大姊：

家裡情形稍平安，一切皆會過去，至於父母親的照顧等，其他要買的等樣國際日日時帶。

跟如及8件書信，傳我些禮物送給他們

祝

全家福

弟 台龍

於Bern

To：潘玉鳳 女士 收

台北市景美 ... 街 號

Taiwan, R.O.C.

© Rud. Suter AG 8092 Oberrieden-Zürich

Nr. 449

P

夫君愛鑒 昨日聞西安之變 焦急萬分 竊思吾
兄平生以身許國 大公無私 凡所作為 無一毫為自己個人權利着想 即此一點 足以表見
以安慰且抗日亦係吾
兄平日主張 惟
兄以整個國家為前提 故年來竭力整頓
軍備 團結國力 以求貫徹抗日主張 此公忠為
國之心 必為全國人民所諒解 目下吾
兄所處境況 真相若何 望即
示知 以慰焦思 妹日夕祈禱
上帝賜福吾
兄早日脫離惡境 請
兄亦祈求
主宰賜予安慰 為國
珍重為禱 臨書神往 不盡欲言 專此奉
達 敬祝
康健

妻美齡 二五年十二月十三日

西安事變時，宋美齡給蔣哥的信.

福成兄：

2015年將結束

但您對同學聯誼

所付出的一切

深感敬佩

富貴花開迎新春

年年有餘慶吉祥

祝闔家 平安、健康、喜樂

恭賀新禧迎春到四季平安好運來

Greetings of the Season
and Best Wishes for a
Happy New Year.

林鐵基
胡豫玟 敬賀

護照

大清欽差出使德和國大臣呂　為

給發護照事照得德國

人由德京柏林起程赴義國[illegible]海口[illegible]公司

輪船赴中國南京山東直隸蒙古等處游歷請給護照

前來爲此給照仰沿途地方關卡一體知照俾得前往[illegible]

[illegible]

光緒貳拾肆年正月拾叁日

右給[illegible]

[illegible]沿途地方關卡官吏知悉

限到日繳

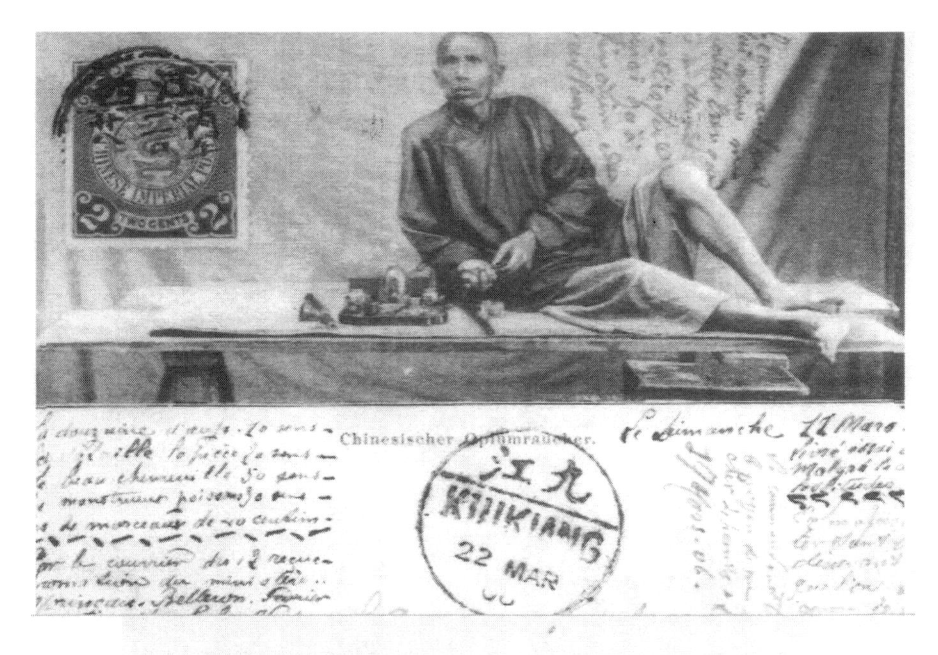

毛主席語录

在无产阶级专政的条件下，一般说是可以把人改造过来的。只有个别的人改造不过来，那也不要紧，刑期满了放回去，有破坏活动就再捉回来。

中国人民解放军 郑州市公安机关軍事管制委員会

劳教 强劳 釋放証

第 51 号

兹有 李[illegible] 因 流氓罪

被強劳、劳教 1 年，在劳教中接受改造较好经评查现批准，于一九七四年八月五日

解除劳教、強劳予以释放。至

一九七四年八月十日

毛主席語录

在无产阶级专政的条件下，一般说是可以把人改造过来的。只有个别的人改造不过来，那也不要紧，刑期满了放回去，有破坏活动就再捉回来。

中国人民解放军 郑州市公安机关軍事管制委員会

劳教 强劳 释放证

第 51 号

兹有 李[illegible] 因 流氓罪

被強劳、劳教 1 年，在劳教中接受改造较好，

经评查现批准，于一九七四年八月五日

解除劳教、強劳予以释放，至

（凭此证入户口）

一九七四年八月十日

一九七四年大陸的「刑滿釋放証」

第七章
此情不在的書寫身影

心醫學才子：醫院的工作還是一樣操勞吧？最近還有去哪兒走走嗎？去高雄這麼久了，有什麼心得嗎？有空時看在MSN或email和我分享一下吧！
累的時候也別忘記出去玩一下哦！時間過得好快，一下子四月馬上就要到了，四月初要[illegible]指揮與董尼木偶的Maria Stuart 呢！
六月去義大利 會不會[illegible]未知了。論文實在是令人頭疼的[illegible]說頭疼是真的，因為近日頭痛的[illegible]多的。不過我想怎樣都比不上[illegible]

ART UNLIMITED® AMSTERDAM
POSTBUS 1760 1000 BT AMSTERDAM TEL 020 6851011

TO：陳牧宏先生
台灣 高雄市左營區大中一路386號，高雄榮總急診大樓7樓
(Kaohsiung, TAIWAN)

PRIORITY

B 2337
Printed in Holland

NIAGARA FALLS - CHUTES NIAGARA

American Falls at night with white lights
Les chutes américaines inondées de lumière blanche, la nuit

Canada 160

40524200
4 06281 40242 5

Lieber Van,

在一連六天的會議後.終於利用最後一天的空擋到
多倫多附近的著名景點:尼加拉瀑布.果然.瀑布本身
落差或許不算驚人.但是廣闊的程度及河水奔騰而
下的氣勢還是令人印象深刻.搭船到瀑布前時.導
覽人員還開玩笑地說.歡迎我們盡情享用"morning
shower".不過並沒有想像中的溼(當然也跟船上發
了輕便雨衣有關).明天一早我就即將離開Toronto前
往Ottawa & Montreal.接著在NY待五天後就回台灣.

祝一切順利

P.S.今天收到我paper accepted的消息.
離畢業又邁進一步了!

William
09/05/2008

To: 陳牧宏先生
116 台北市文山區萬盛街
號 TAIWAN

© DESIGNED AND PRINTED by The Postcard Factory
2801 John Street, Markham, Ontario L3R 2Y8 (905) 477-9901

Published by Niagara Parks
Visitor information
Phone: 905-371-0254 Toll free: 1-877-642-7275
Web Site: www.niagaraparks.com

Printed in Canada/Imprimé au Canada

Photo: Gord Counsell
Ref: PC57-NPC041-828

Lieber Collin，這是 Jean TINGUELY 的作品，他有很多這樣的大件作品，都是可以經由按壓一大按鈕而運作數分鐘的"機器"，還蠻有趣的，多半是會讓人覺得有點童心的狀樂作品。有一件大的作品還有好多截梯子在上面，可以讓人走上去上上下下，由不同的角度看那件作品。還蠻有文學意象XD

Jean Tinguely (1925–1991)
Fatamorgana (Méta-Harmonie IV), 1980
© Museum Jean Tinguely Basel und Christian Baur (Fotograf)
MJT, getragen von der F. Hoffmann-La Roche AG

你何時要離鄉背井啊？寫封電子郵件提醒我吧！其實，若有空就寫幾封電郵啦！收到"信"——我指文字書／抒寫——都會很讓人高興啊啊啊！很想念你哩～祝一切順心!!

Dan
2005 1024

To：陳牧宏先生
台灣北市萬盛街
號 樓
(Taipei, TAIWAN)

PRIORITY

MARTINSTOR UND MÜNSTER

Dear van,

剛從波蘭回到德國，很多東西都在整理中，包含情緒。從波蘭往返德國來去匆匆，很多想看的東西其實都沒有達到目的，不過能夠這樣也算是相當值得。希望是玩有玩到，研究也有做到，哈!! 在歐洲的各個大小城市都有教堂（跟台灣的廟有異曲同工之妙）我並不清楚在波蘭主要信仰的是天主教還是東正教，不過他們的儀式（那種早晨或黃昏的禮拜??）卻很令人動容，搭配著管風琴的聲音，尤其令人感到莊嚴。Postcard 的照片是 Freiburg 的 Münster，黃昏的 Freiburg 總是讓人覺得特別美好，在紅磚的城區散步，迎著涼風與流水，在夏天特別舒服。祝好，

William
08/29/2005

© Fotografie Karl-Heinz Raach · D-79249 Merzhausen www.freiburg-fotos.de

FREIBURGER AN

Deutsche Post 29.08.05
FILIALE F10145480A 1,00 EUR

To：陳牧宏
116 台北市文山區萬盛街
號
TAIWAN

LUFTPOST
PAR AVION PRIORITAIRE

EVERGLADES NATIONAL PARK

#21772 Sunrise

A breathtaking sunrise marks the beginning of a new day's cycle in this primeval wilderness. Just minutes from Miami's modern metropolis, this fragile ecosystem reminds us of our duty to preserve our natural habitats.

Photographer-Connie Toops

Flamingo Lodge Outpost Resort • Everglades National Park • 941-695-3101 • Amfac Parks and Resorts

Dear Van:

從星期天開始一個星期的會議總算已經結束，而我們也開始踏上旅遊的行程，Miami的陽光一向那麼燦爛，海灘也充滿青春陽光的氣息。不過我想還是比較懷念台灣的食物還有生活習慣，老美的作事態度向令人難以領教。我們現在在everglade國家公園，很棒而充滿悠閒氣氛的地方。

William 05/05/13.

P.S. 祝你所有考試都順利

To: 陳牧宏先生

116 台北市文山區萬盛街 號 樓

Taiwan, ROC

THIS AREA FOR OFFICIAL POSTAL USE ONLY — RECYCLED PAPER

ROMA

S.PIETRO

LA BASILICA È OPERA DEI GRANDI ARTISTI DEL RINASCIMENTO ROMANO: L. B. ALBERTI, BRAMANTE, RAFFAELLO, MICHELANGELO.

ST. PETER'S

THE BASILICA IS THE WORK OF GREAT ARTISTS FROM THE ROMAN RENAISSANCE: L. B. ALBERTI, BRAMANTE, RAFFAELLO, MICHELANGELO.

DER ST. PETERSDOM

DIE BASILIKA IST DAS WERK DER GROSSEN KÜNSTLER DER ROM RENAISSANCE: L. B. ALBERTI, BRAMANTE, RAFFAELLO, MICHELANGELO.

SAINT-PIERRE

LA BASILIQUE EST L'OUVRAGE DE GRANDS ARTISTES DE LA RENAISSANCE ROMAINE: L. B. ALBERTI, BRAMANTE, RAFFAELLO, MICHEL-ANGE.

Dear Van,

這次來到羅馬，當然也就不會錯過這個全世界天主教的中心梵蒂岡。昨天在其博物館匆忙地看了兩個鐘頭，看到西斯汀教堂那些壁畫的感動跟震撼，以及今天在聖彼得大教堂看到歷任教宗的身後遺及教堂雄偉的建築，更是讓人感受到宗教力量的宏大。知道你是虔誠的教徒，所以選擇在此處寄出明信片給你 and hope you like it

PS: 你有機會一定要親自來一趟

William 30/07/07

To: 陳牧宏先生

116 台北市文山區萬盛街 號

TAIWAN

8 019834 100017

Seattle

Seattle's night sky comes alive with the sparkling lights of the city's unique landmarks. Day and night, this enchanting city boasts entertainment, culture, fine dining, ... and sports. Seattle offers the best of big-city life nestled in a unique natural setting.

Photographer – Jon Gnass

TACOMA WA 984
15 MAY 2006 PM 4 L

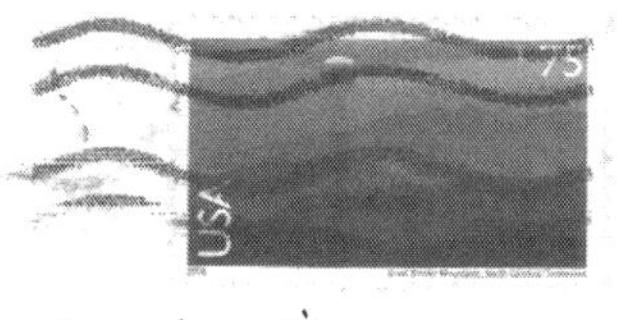

Lieber Van,

我這週開會一切都好，不知道你高雄那週是不也是如此，西雅圖是個氣候相當宜人而舒適的城市，這幾天的氣溫大概都不超過20°C。開完會後我們到雷尼爾山開始玩耍，才開始有更像度假的感覺，在五月能夠在海拔不到二千公尺的山上玩雪，令人覺得相當興奮。一片白靄靄的雪地卻又豔陽高照不甚冷。同行的人都玩得相當盡興。祝一切都好，照片回台灣再給你看。William 2006/05/13.

To: 陳牧宏
81346 高雄市左營區大中一路
386號 高雄榮總急診
大樓7樓B-13室
TAIWAN

© Impact. Designed & Distributed in the U.S.A. Printed in Korea

THIS AREA FOR OFFICIAL POSTAL USE ONLY

impact

www.impactphotographics.com

WARSZAWA – Pomnik F. Chopina w Łazienkach
❍ Pomnik Chopina, Paryż ❍ Portret Chopina
❍ Grób Chopina, Paryż ❍ Fortepian Chopina, Warszawa
WARSAW – Chopin Monument in Łazienki Royal Park
❍ Chopin Monument, Paris ❍ Portrait of F. Chopin
❍ Chopin's grave, Paris ❍ Chopin's piano, Warsaw

5903792146008

PRIORYTET
PRIORITAIRE

WA ... 22080501

Dear Van,

這次來波蘭最遺憾的大概會是在華沙停留的時間只有一個整天。alles über Chopin 我想大概是沒有機會仔細去看了，包括聖十字教堂、博物館，或者他在華沙近郊的出生地。but I still choose a postcard about Chopin for you, because he's become the symbol of this city, in my opinion. P.S. 我想我沒有時間去找怪怪的CD了!!

Sincerely,
William
08/21/2005 @Warsaw

To: 陳牧宏先生
116 台北市文山區萬盛街　號
Taiwan, ROC.

© Wyd. VISTULA, P.O.B. 29, 01-800 WARSZAWA 45, (0-22) 835 45 01, kom. 502 421 985

▼ STREFA KODOWA – NIE UMIESZCZAĆ ŻADNYCH NAPISÓW ▼ DO NOT WRITE BELOW ▼ DIESES FELD NICHT BESCHREIBEN ▼

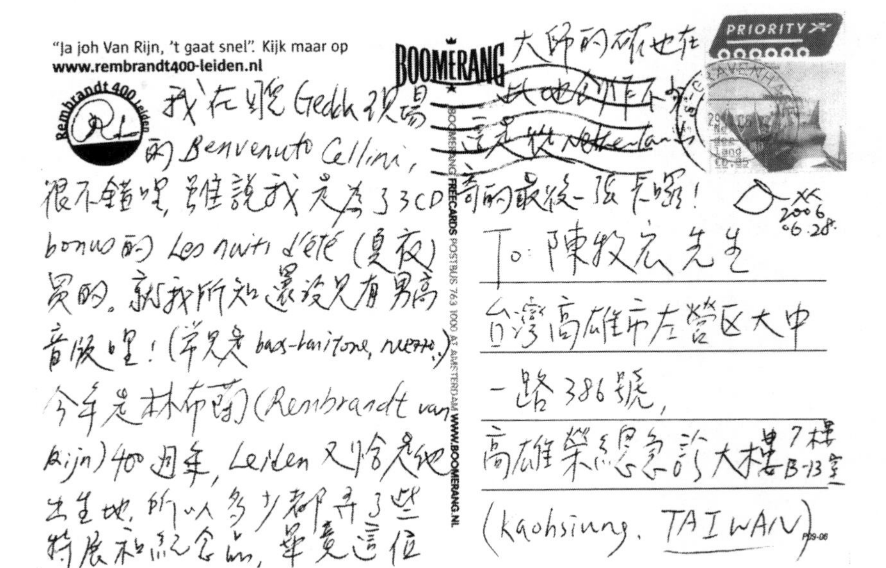
"Ja joh Van Rijn, 't gaat snel". Kijk maar op
www.rembrandt400-leiden.nl

我在聽Gedda現場的Benvenuto Cellini,
很不錯喔, 只好說我是為了3CD
bonus的Les nuits d'été (夏夜)
買的。就我所知還沒見有男高
音版喔! (常見是bass-baritone, mezzo)
今年是林布蘭(Rembrandt van
Rijn) 400週年, Leiden又恰是他
出生地, 所以多少都弄了些
特展和紀念品, 畢竟這位
大師的家也在
此地創作不少
這是從 Nolke-lan
寄的最後一張卡囉!
2006.6.28.

To: 陳牧宏先生
台灣高雄市左營區大中
一路386號,
高雄榮總急診大樓7樓B-13室
(Kaohsiung, TAIWAN)

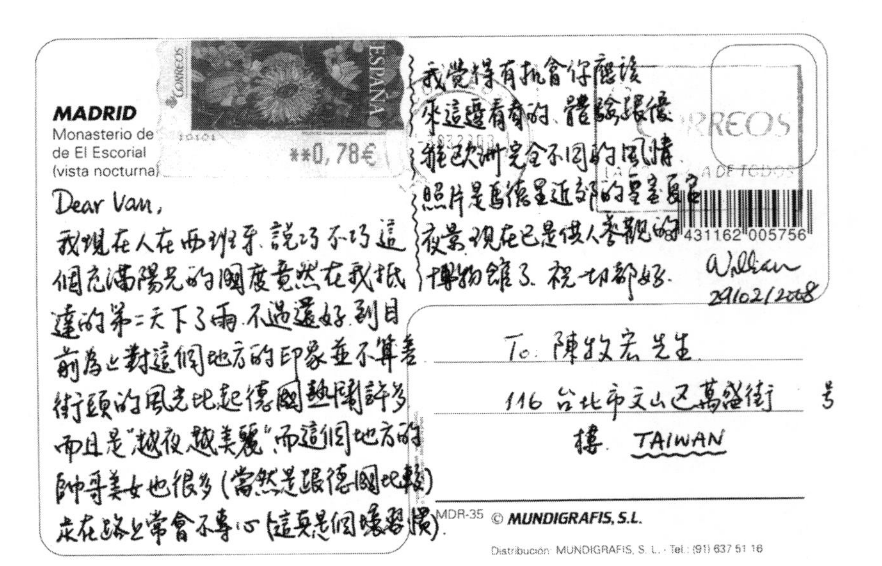
MADRID
Monasterio de
de El Escorial
(vista nocturna)

Dear Van,
我現在人在西班牙. 說巧不巧這
個充滿陽光的國度竟然在我抵
達的第二天下了雨. 不過還好. 到目
前為止對這個地方的印象並不算差.
街頭的風光比起德國熱鬧許多
而且是"越夜越美麗" 而這個地方的
帥哥美女也很多 (當然是跟德國比較)
走在路上常會不專心 (這真是個壞習慣).
我覺得有機會你應該
來這邊看看的. 體驗跟德
北歐洲完全不同的風情.
照片是馬德里近郊的皇家宮殿
夜景. 現在已是供人參觀的
博物館了. 祝一切都好.
William
29/02/2008

To: 陳牧宏先生
116 台北市文山區萬盛街　號
樓 TAIWAN

MDR-35 © MUNDIGRAFIS, S.L.
Distribución: MUNDIGRAFIS, S. L. - Tel.: (91) 637 51 16

Marc Chagall
Selbstbildnis. 1914
Sammlung Im Obersteg Oberhofen
Kunstmuseum Basel

這是我當初在瑞士Basel買的卡片，我也看到此畫真品。卡片上寫說標題為"自畫像(Selbstbildnis)"，但我記得在美術館中是標為Chagall為未婚妻畫的肖像。也許是我記/看錯？不過當時我還想，果真如此不知他未婚妻作何感想哩。在Basel那美術館還很多夢幻的Chagall作品，不過他的夢幻中似乎總不失一種真實世界中一種"自然"的尖銳，雖說這並不讓他的作品失卻任何一分魅力～

親愛的牧宏：

我正在測CO_2，利用這空檔寫信。我現在又髒又累又沒有人說中文，甚至覺得我變得比畫像還要憔悴。我現在沒有桌子，所以字跡會很扭曲。

在這邊真是天天想回夢特婁，我是沒有那麼想回夢特婁的時候。

我在這真是學的我老師一點……回去再說吧！

反正也許今天可以回到Resolute就好，如果不能，明天也得回去Resolute。

風景那邊的全景都可美得不得了，囉唆了……

友翰　July 18, 2009

To：陳牧宏

116台北市文山區萬盛街　號

TAIWAN

Nunavut - Canada's Arctic ... for real travelers.

Box 1450 Iqaluit, NU X0A 0H0 toll free 1-866-NUNAVUT (686-2888) www.NunavutTourism.com
Photograph: Making 'pipsi', dried arctic char by Jamie Little

荷文中"succes!"就是"祝好運!"之意，加上後面那些藍色小藥丸，應該知道我要祝你啥了吧，嘿…

天氣暖好多了哦！若不下雨天氣都算暖，也較易見陽光了。今天出去走走，好多人在外面喝咖啡，也有好多船在運河中駛。沒意外的話~~明天就去Keukenhof花園賞花啦！~~好期待哩！據說花多到至少得在那待個大半天才看得完

D 2006 0416

PRIORITY

To：陳牧宏先生

台灣高雄市左營區大中一路386號
高雄榮總急診大樓七樓B-13
(Kaohsiung City, TAIWAN)

Köln · Cologne · Colonia

Blick vom Alter Markt auf den Dom 1945
View from the Old Market to the Cathedral in 1945
Vue du Vieux Marché sur la cathédrale en 1945
Vista desde el Mercado Antiguo hacia la catedral, 1945

Lieber Van,

在德國的我一切都好。不管是學習、食物或者生活都是。在Bonn這邊（或者說在德國）當學生總是有相當多的優待，不管是交通費或者看表演，學生月票一個月只需十幾歐元就可以任意搭車（在某區域內），看歌劇聽音樂會都是半價，所以買票的手也比較不會手軟。明信片是科隆的照片，二次大戰後的科隆除了大教堂之外，其他地方幾乎都被炸平，而這從西元13世紀起建造至19世紀中期完工的教堂倖免於難，可能是神蹟保佑，也可能是巧合，當然也可能是刻意，不過我不得而知。至少我知道每每看到歐洲的教堂建築，總免不了要讚嘆一番。另外去年教宗來訪德國，也曾在Dom這裡公開露面，導遊帶到該廣場還會特別提及。

Deutsche Post　20 09 06
FILIALE　F10115D3CB　1,00 EUR

祝在台灣的你一切都好。
William. 19/09/2006.

To：陳牧宏先生

81346 高雄市左營區大中一路386號
高雄榮總急診大樓7樓B-13室
TAIWAN

LUFTPOST
PAR AVION PRIORITAIRE

PRAHA
KARLŮV MOST A HRADČANY

Dear 老潘：

好久沒消息了，近来可好？！十月要去Basel工作了，今天来到"布拉格的春天"中的小伙Marianke Lamé寄張Prag的查理橋給你。 祝好

樸 2001.9.2

FOTO: MILAN KINCL

KINCL & HAUNER Nr. 1101

Mit Luftpost

潘

台南市光明街108号

Taiwan, ROC

ČESKOSLOVENSKO 3 Kčs

ČESKOSLOVENSKO 2 Kčs

Berner Oberland
Bahn Lauterbrunnen–Grütschalp–Mürren 1650 m
Eiger, Mönch und Jungfrau

父母親：

今天和同事到此採集香菇，順便爬山且寄張卡片。

兒 台龍
1995.8.11

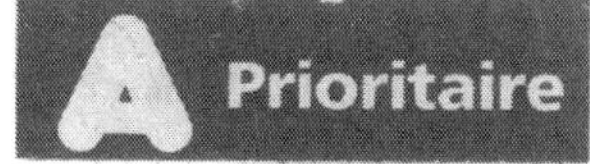

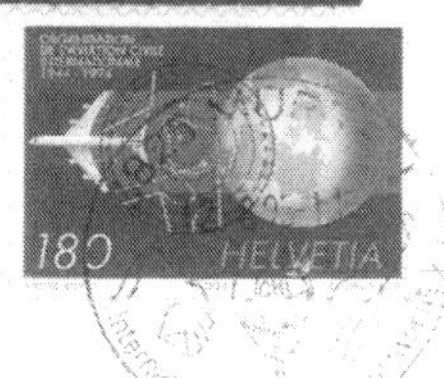

Nr. 81 Aufnahme und Verlag Beatrice Gertsch Mürren

To：潘翔皋 先生
台南市光明街108号
Taiwan, R.O.C

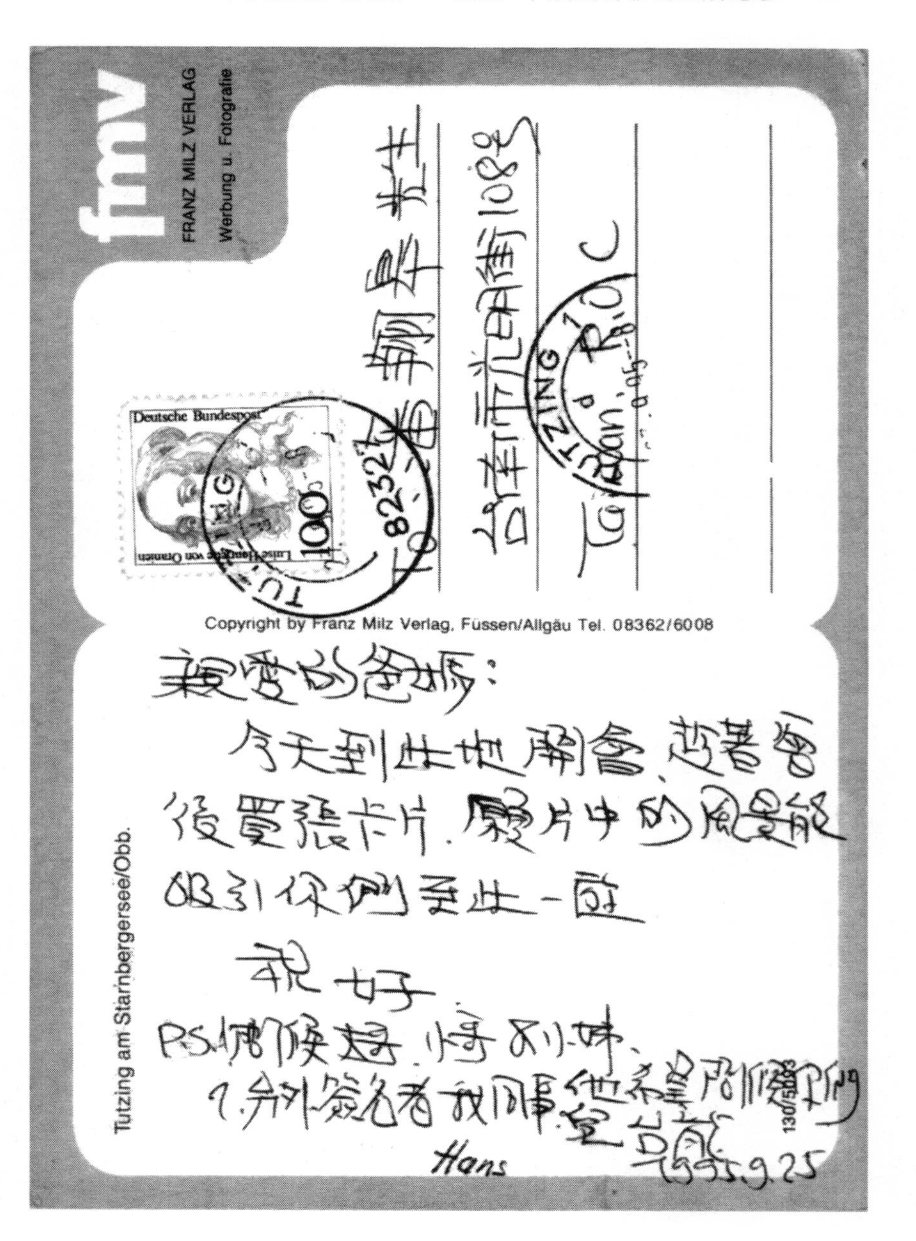
fmv
FRANZ MILZ VERLAG
Werbung u. Fotografie

Deutsche Bundespost
100

台南市光明街108號
鄭 先生
Taiwan R.O.C.

Copyright by Franz Milz Verlag, Füssen/Allgäu Tel. 08362/6008

Tutzing am Starnbergersee/Obb.

親愛的爸媽：
今天到此地開會，趁著空
後買張卡片，願片中的風景能
吸引你們至此一遊
祝好
Hans
1995.9.25

De nieuwe Siemens CL75
For women only!
Stuur deze kaart naar een vriendin, collega of kennis en daag hen uit het spel te spelen op
www.spiegeltjeindehand.nl

BOOMERANG
BOOMERANG FREECARDS POSTBUS 763 1000 AT AMSTERDAM WWW.BOOMERANG.NL

哈哈，我知道這是廣告用明信片，而且號稱是"women only"，不過還是很有趣吧！正面荷文是"mirror, mirror at the hand, who is the most sophisticated on the land?"

我在路上看公車站牌的廣告、或書刊廣告，常会語帶嘲弄阿H，荷蘭的廣告都這麼逗，還是我運氣好都碰到逗的？他們在café也会放這種廣告明信片，很多都也很逗 XD，不過我是一直很喜歡這張明信片的設計.

在荷蘭的日子好快就要結束了，回憶也好多. 其實，雖然還有好多可看可做的，但另一方面我也很驚訝有這麼多回憶. 這張卡片會提醒我的，應該是Leiden市政廳café的好幾杯咖啡和brownie派吧…還有立地的火焰…

NOT FOR SALE

The Phone House
...for a better mobile life

The Hungarian State Opera House

Hallo Van,

這次旅行已經過一個星期，行程也從Prag推進到Budapest，截至今天為止已經看三場歌劇，不過在東歐觀賞的品質似乎不如預期，倒非製作上的問題，但不曉得跟觀光客太多是否有關，開演後十分鐘之內都無法真正完全安靜，不過體驗在包廂看戲的經驗則是很有趣。不管Prag或Budapest的國家劇院，製作都似乎較傳統，四平八穩缺乏些新鮮感。照片是Budapest國家劇院的內部，金碧輝煌，中間還特別留有兩個座位似乎是給國王與皇后使用的（當然現在的匈牙利已經沒有國王了）。

To: 陳牧宏先生
116 台北市文山區萬盛街
號　TAIWAN

祝一切都好 Happy New Year!!
William
30.12.2007

Photo: Benno Thoma

呼，你說歡喜收我的明信片，那我就一次寄三張給你，對你不錯吧！非常厚愛有加哩^^ 我就要出發去西班牙、義大利了，一個月才回來。前些日子的焦慮現在似乎都很難回想起來了，還有點諷刺說～現在是期待與興奮比較多吧。當然，自助旅行是會有許多要想法子處理的狀況，不過能去西班牙義大利看那麼多美得驚人的景致是多麼棒啊！更別提要去La Scala看Ariadne auf Naxos哩！ 只剩四、五天就要出發了，得快把現在在處理的這個chapter寫好初稿，該電腦中備份的也得動手備份了。

2006

POST CARD BOOK

Venezia - Ponte dei Sospiri

To 木朵大醫生：

在高雄實習還順利嗎？我目前在浪漫的威尼斯，看著運河以及海浪，真的是非常悠閒。希望你有機會也都親自享受

仲霖

2006.9.23

PADOVA Poste 25.09.06

ITALIA €0,02

ESPLORAZIONE DI MARTE ITALIA €0,80

ITALIA €0,03

11681
台北市文山區
萬盛街 號 樓
ROC, Taiwan.
陳牧宏先生收

Programs srl

NUOVA ZERELLA SNC - Tel. e Fax 041.5205797

SB.12

第八章
參訪北京黃埔同學會報告

全統會北京參訪拜會報告

中國全民民主統一會

二〇一四年三月廿五日　北京黃埔軍校同學會　陳福成

我個人和祖國大陸黃埔同學會有一點因緣（如後信件），這次到北京參訪，安排拜會北京黃埔同學會，也算了一半心願。

全統會此行當然是為中國統一而來，中國幾千年歷史都是「分久必合、合久必分」。所以，從大歷史看，統一「根本不是問題」，只是遲早的事。長遠看不是問題，但眼前的當下，卻有很多要處理的大小問題。處理兩岸統一問題，要從整個中國的大格局看，而掌控主導和優勢也已經在大陸，不在台灣（含各黨派）。

今（2014）年元月二十二日，總書記習近平先生在「中共中央全面深化改革小組」會議指出，國家發展將面臨五項挑戰：

①維護社會和諧並推進改革難度高、②反分裂、③反恐、④反宗教極端主義任務艱鉅、⑤中美戰略博奕激烈。

將導致周邊環境安全系數下降，海洋利益競爭加劇，嚴重依賴能源資源進口與國際市場須求。同時關鍵技術自主性不足，容易受制於人以及全球氣候變化與中國生態環境惡化，重大自然災害破壞等。

廿一世紀才第二個十年，吾國崛起之戰略態勢已經抵定，但所面臨的問題風險愈大，為應對以上重大挑戰並解決統一問題，習近平規劃了八大國家安全戰略：

(一)運用「穩增長、調結構、反貪腐」等措施，鞏固政權和社會穩定。

(二)均衡發展與各大國關係，擴大合作面，管理競爭面，健全金磚五國機制，做大做强新興國家互惠合作，防止被美日西方大國聯手牽制。

(三)經略歐亞大陸，開拓海上絲綢之路，妥善處理日本威脅，增加周邊安全對話話語權。

(四)强化軍隊實戰準備，對海洋、太空、網路、極地等領域加大投入，搶占制高點。

(五)扶持戰略產業與自主品牌，減少對外依賴，推進周邊經濟合作機制與自貿區建設，擴大國際經貿規則制定權。

(六)確保網路資訊傳播秩序，整合相關機構職能，形成從技術到內容，從日常安全到打擊犯罪的網際網路管理能力。

(七)打造中國核心價值觀，改進網路時代輿論競爭方式，主動應對西方價值觀與意識形態滲透．

(八)強化公共衛生和食品安全，預防與有效處置重大疫情，加強災害預防與搶險救災工作，防止極端氣候和重大自然災害引發嚴重破壞

以上是為面對「五項挑戰」，所規劃的「八大國家安全戰略」．吾人淺識，第(三)(四)(五)(七)都和統一問題有直接關係，其他也有重大影響，但如何落實完成才重要，習總書記分四階段完成．

第一、自二〇二三年至二〇二七年的五年間，增強國家安全工作能量，為全面深化改革，保持經濟中高速增長，推進發展方式轉變，創造有利的內外安全環境，穩定拓展海外投資能量．

第二、中共建黨一百年，即二〇二〇年前夕，維護重要戰略機遇期，

推進國家治理體系和治理能力現代化，為實現全面建成小康社會戰略目標，逐步成為周边與國际安全環境的塑造者。

第三、建党百年和建國百年間的三十年（二〇二一年到二〇四九年），促進大陸穩定發展環境，主動塑造國际安全氣氛，增加對國际安全正面貢献，實現内外安全良性互動，在此期間以適當方式完成國家統一。

第四、二〇五〇年起的本世紀下半葉，實現中等發達國家的戰略目標，成為周边安全新秩序的主要建構者，以及國际安全新秩序的關鍵角色。

按習總書記的戰略規劃，統一是在第三階段（2021至2049）完成，這似快似慢，最快八年，最慢三十六年。兩岸在「八二三砲戰」後，毛澤東說過一句話：「別打了！他們跑不過一百年，還是要回來。」確是，中國歷史分久必合，合久必分。吾人期待，未來統一後，永遠不要再分了。

最後代表全統會小結：

一、全統會在台灣雖非很大的政治團體，長江巨流也是很多細流而成，我們永遠為中國之統一大業，盡一分心力。

二、大陸對台灣的「用力」，要以「軟實力」（文化、民族、經濟等）為主。在我看來，軟實力才是對台獨最大殺傷力，統一的最大助力。

三、習總書記的「大國家安全戰略」，若能逐一落實，台獨自動消亡，也等於是國家統一的「水到渠成」，何須用兵？

補記：

總書記習近平先生提到「五項挑戰」之一的「中美戰略博弈激烈」，及「八大戰略」中的「防止被美日聯手牽制」和「妥善處理日本威脅」，這些除了和統一有牽扯，事實上日本是中華民族「永恆的敵人」，只要打開歷史，仔細深思明萬曆「中日朝鮮七年之戰」↓「甲午戰爭」↓「八年抗日之戰」，就會知道，日本人的歷史天命就是「消滅中國」，他們的高層知識份子代代都有此認知，教育他們的子民。反觀咱們中國人，知道倭人在此野心者不多。故，我特寫《日本問題的終極處理》一書，也帶來贈大家參考，希望在神州大地廣為流傳，警示每一代的中國人。

江苏省黄埔军校同学会

福成先生大鑒：

首先感謝賜寄《我所知道的孫大公》大作，二〇〇一年　大公学長率「黃埔校友旅美訪問團」作「溯源之旅」來南京晉謁孫中山先生陵寢，由江蘇省黃埔軍校同学會接待，有緣相處交流數日，欽佩　大公学長愛國愛民族精神，惜時日匆匆未儘暢談，此後雖每年均互致年卡賀歲，今獲　先生大作，拜讀之餘得以全方位認識　大公学長不愧為副題：為中華民族再添一抹光彩。

弟為十五期第六總隊校友，抗戰爆發時在南京國立中央大学實驗中学讀书，為抗日救國投筆從戎。抗戰勝利后任職于國防部二廳。時代變遷，但堅持愛國愛民之心

地址：南京市北京西路 30 号宁海大厦 1910 室　　邮编：210024
电话：025-86631261（传真）　83321128-1910　86636376

江苏省黄埔军校同学会

未滅。大石學長與弟所處有異，但愛國愛民之心互通，親愛精誠校训互遵。世界潮流奔騰向前，順之者昌，逆之者亡。馬英九執政以來，兩岸關係好轉，我黃埔校友流血換取台灣光復，豈容"獨立"？！和平统一乃當今潮流，願我黃埔校友努力奮鬥以求早日實現。然否？

再次感謝！祝

安康！

學弟 張修齊 敬禮！

二〇一一年五月十四日于南京

地址：南京市北京西路 30 号宁海大厦 1910 室　　邮编：210024
电话：025-86631261（传真）　83321128-1910　86636376

上海市黃埔軍校同學會

福成校友：謝謝您惠寄

大作，使我們知道了孫大公先生。

孫大公校友曾多次來訪，

我們還曾[illegible]花開又見

已有很深的友誼。收到大作，

使我感到很親切。我們

工作任務和我們共同的目標是

是我們都熱愛祖國，擁護

致力黃埔的祖國實現和平統一。

歡迎到上海來走走。並請

多保重，祝

全家幸福

[illegible]

2011.5.7

福成先生暨夫人：

大作《我所知道的孫大公》早已收到谢谢。我系十七期黄埔同学曾在十八、十九期任教，和吴言西讲学长在陆军大学参谋班同学，他已于今年一月因病去世至感悲悼。如有机会欢迎您到上海来观光参访。

新年来临 恭祝

節日快樂 健康長壽 万事如意 阖家幸福

中国艺术家交流协会 终身名誉主席
西南联合大学上海校友会 会长
上海市黄埔军校同学会 理事
上海市黄埔军校同学会普陀区工作委员会 主任委员
政协上海市普陀区十一届委员会 委员
上海市普陀海外联谊会 理事

夏 世 鐸

地址：上海市大渡河路1668号1号楼C区1308B室
电话：52564588-3327 邮编：200333
住址：上海市莲花路425弄13号302室
电话：021-64804493 邮编：201102

夏世鐸敬賀

2011.12.

第九章
寒窗書寫的身影
（節錄）：陳福成

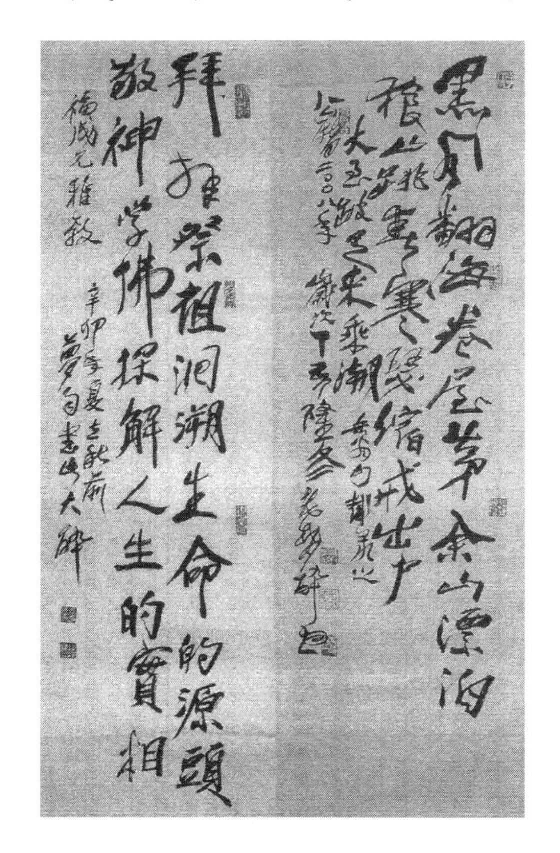

輯27：五月渡瀘與準備北伐

1、在孔明的故事中，有一段「七擒七縱」，那是在準備揮師北伐之前的事，很是感人，到底詳情如何？

△「七擒七縱」就是出師表中「五月渡瀘」的事，史書有稱「南中」或「南夷」，大約在四川南部、西康東南、雲南東北和貴州西北部一帶，這一帶的少數民族漢代稱「西南夷」。漢武帝時，先後派过司馬相如、司馬遷出使西南夷，歷代政策「时撫時討」。這些地區等於是益州的大後方，戰略價值重要。

△正當蜀漢大喪，吳蜀關係緊張，南中地區有四個郡發生叛亂：益州郡（雲南昆明西南）、永昌郡（雲南保山）、牂柯（貴州遵義）、越嶲（四川西昌、會理）（如圖），叛軍殺了當地蜀漢派的太守，部落頭目自立稱王，威脅蜀漢大後方，後方不定，孔明不可能北伐。

△孔明初取「撫而不討」政策，目的在穩定內部政局及建立吳蜀的联盟關係。如此，保泮休養生息。

△建興三年（二二五年），馬謖提議：「攻心為上，攻城為下；心战為上，兵战為下，願公服其心。」才能一勞永逸。君臣商定，三月，孔明命向朗為自己的後任，留統後事，親自率領五萬部隊踏上南征之途。

二、南征是很辛苦的，前出師表提到「五月渡瀘，深入不毛」，「三國演義」說瀘水、瘴氣都有毒，未知孔明南征結果如何？

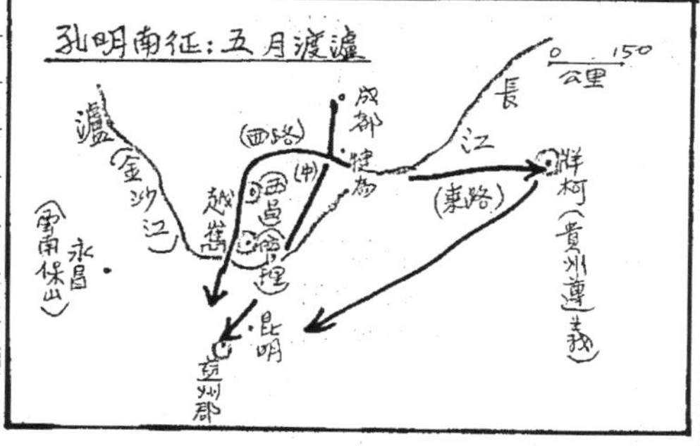

△孔明南征，兵分三路：
西路孔明親率進攻越嶲；東路馬忠率領，攻打牂柯，再進兵合圍益州郡；中路李恢領軍，直攻益州郡叛軍大本營。

△各路軍進展都順利，建興三年夏五月，孔明率大軍过瀘水（金沙江）後，碰到由叛軍首領孟獲率領的主力軍，就是這裡孔明使出攻心戰術。

△第一次接戰，叛軍大敗，孟獲被擒，孔明帶他參觀蜀軍部隊。「覺得我軍如何？」孔明笑問。
孟獲答：「早先弄不清你們的部隊，所以大敗，現在我知道了，再有机会就能戰勝。」
孔明聞言大笑，「真有趣，把他放了。」
再戰，又被擒回，如此七擒七縱，第七次他終於垂淚說：「七擒七縱，自古未嘗有也，吾雖化外之人，頗知禮義，直如此無羞恥乎？」從此西南夷都臣服於蜀，感孔明之恩德。

△孔明撤軍後，當地實行地方自治，用當地人任當地官吏，蜀漢也不駐常備部隊。

3.這麼說，孔明對中國西南地區的經略開發貢獻很大，世人似乎只知孔明能用兵，不知他對落後地區的開發也有長才。

△是的，而且對目前台灣有很高的參考價值，可分成地方自治、破除種族歧視用人唯才、不派駐軍、經濟開展、交通共產改整理。
△地方自治方面，把原來四郡改為六郡，都以當地土著或原來官吏任職，如建寧人（昆明西南）李恢（原南征中路軍指揮）、永昌人呂凱都是太守。
△在用人唯才方面，孔明是很多肯定的，如曾被「七擒七縱」的首領孟獲，官至蜀漢的御史中丞，其他尚有很多，在蜀漢政府中當官。
△孔明雖開南中後，並不在當地駐軍，且由當地土著成立五支「特種作戰部隊」（類似現在的山地作戰步兵師），納入蜀漢軍籍，後來成為一支驍勇善戰的部隊，號稱「飛軍」。
△南中地區物產豐富，如昆明產鹽、鐵，保山產金、銅、琥珀，孔明設鹽鐵官，重用一批經濟技術官僚，打通交通線，把當地物產賣到成都、重慶，往南銷到緬甸、越南、泰國，乃至南海地區；同時把蜀漢先進的生產技術傳到南中。
△除物質層面上的努力，孔明也積極在南中廣設「學校」，以當地土著也有機會讀孔孟之書，受華夏文明之洗禮。當我們重新研究孔明當時的作為，反省現在台灣政壇，用人只要立場、不要奴才，其他不管；山地運輸仍然落後，經常看到農民把水果整車倒掉，而城市仍在賣高價，豈不汗顏。
△孔明積極在做「中國化」的事業，現在台灣有一群人卻反其道而行，做「去中國化」，我們若不讀孔孟詩書，不讀中華文化寶典，文化水平豈不退回孔孟之前——3000年前。

4、南中平定，益州穩定了，下一步就是「北伐中原，復興漢室」，但事實上蜀國是三國之中最小、最弱的一國，這是否是大問題？三國之間的綜戰力比如何？

△先說綜國力比，當時整個中國境內區分十三州，蜀只佔益州（荊州因劉備東征失敗又被孫權拿去）；孫權佔揚、荊二州大部，及交、廣二州少部；餘約九州（長江以北）為曹魏政權佔有。

△說人口方便，當時天下大亂，中國人口有大約八十年的負成長，到三國時代總人口剩下大約九佰萬。曹魏有440萬，東吳有230萬，蜀漢約90餘萬。

△總人口少，武裝部隊相對的少，曹魏有六十萬正規部隊（戰時可再動員六十萬）；東吳有二十三萬（戰時再動員二十萬，計四十餘萬）；蜀漢有十萬（其中含五萬南中兵力，戰時可再動力員十萬，計約二十萬兵力。）

△三國之中蜀國最弱，所幸「天府之國」物產豐富，地理位置佳，東有長江天險擋住東吳，北有米倉山、大巴山、摩天嶺，西有巴顏喀拉山擋住曹魏勢力不侵，但也同時造成北伐交通線的困難。

△逐鹿天下當然須要實力，例如現在各大超商都在逐鹿台灣或中國大陸的市場，沒有「實力」是不行的。但當你陷入一個困境、死局中，想要掙脫、開展，就不是「力」的問題，而是「智」的問題。當年曹操百萬大軍南征，劉備、孔明大潰敗，若非孔明用智聯吳，那有以後的三國？

△台灣「帝王食補薑母鴨店」創办人田正德先生，一度潦倒到在屠宰公司洗廁所，又得肝病，醫生診斷只剩半年生命；但他現在有166家分店，正向大陸發展中。
掙脫困境、死局，展開新生，「智」的作用遠高於「力」。

5、所以，智慧、人品、情操是一種很珍貴的「實力」了？空有物質力（房屋、土地、金錢……）是不夠嗎？

△可以這樣說。在三國，論物質力以曹魏最高，論智慧、人品、情操，則蜀漢最高，可以用下列公式解釋。

設 X：國家總戰力（物質力）

Y：政權的合法性、正統性

Z：統治者的人品、智慧、情操（忠孝節義等）

A：戰略、謀略、策略、兵法之用。

以此四個標準評估三國：

	魏：曹操 曹丕	吳：孫權	蜀：劉備 孔明
X	最高	中	弱
Y	低或缺	低	正統、合法
Z	中下	中下	極高
A	中	中	高

說明：歷史對曹魏政權的評價是「篡漢」，所以是「非法」政權；但曹操、曹丕父子在文壇則是「合法的君王」。所以，一個人的評價也常是多面，南唐李後主在政壇上「亡國之君」是永遠洗不掉的罪名，在文壇上「永恆不朽的君王」則是一項永恆的桂冠。

△居於以上的論述、評析，最有資格「復興漢室」，北伐中原，統一中國的，就是劉備、孔明，這是他們的「天命」。

6.各方面條件都做了充份準備後，孔明還向後主劉禪上了「出師表」，說明必須北伐的原因，也是一篇賺了古今許多人熱淚的好文章。

△確實，中國五千年多少好文章，含現代人，「出師表」可謂「無與倫比」。蘇東坡說：「出師二表，簡而且盡，直而不肆，非秦漢而下，以事君為悅者所能至。」後人都說，讀李密「陳情表」不哭，其人必不孝；讀孔明「出師表」不哭，其人必不忠；讀韓愈「祭十二郎文」不哭，其人必不慈。

△可見「出師表」是表述了一個人的忠貞、志節，性情之上乘，講孔明的故事，不能忽略「出師表」，概提其要吧：

臣亮言：先帝創業未半，而中道崩殂，今天下三分，益州罷弊，此誠危急存亡之秋也。然侍衛之臣，不懈於內；忠志之士，忘身於外者，蓋追先帝之殊遇，欲報之於陛下也……親賢臣，遠小人，此先漢所以興隆也；親小人，遠賢臣，此後漢所以傾頹也……

臣本布衣，躬耕於南陽，苟全性命於亂世，不求聞達於諸侯。先帝不以臣卑鄙，猥自枉屈，三顧臣於草廬之中，諮臣以當世之事，由是感激，遂許先帝以驅馳……今南方已定，兵甲已足，當獎率三軍，北定中原……

今當遠離，臨表涕泣，不知所云。

△建興六年（228年），孔明率軍第一次北伐，這年他四十八歲了，距離劉備死（223年）已有五年。

輯28：揮師北伐，復興漢室

1. 北伐準備已經五年，邹並都在此刻，「出師表」已上，今天開始我們就揮師北伐吧！別光說不練。

△在北伐前的一次作戰会議，孔明與諸將領在研商整個作战構想，將軍魏延提議說：「据聞曹操的女婿夏侯楙鎮守長安，他胆小如鼠，我率一萬精兵，走太白嶺→郿縣，突襲長安，十天便能拿下，而你丞相再率大軍支援上來，魏軍援兵二十天才能到達。」

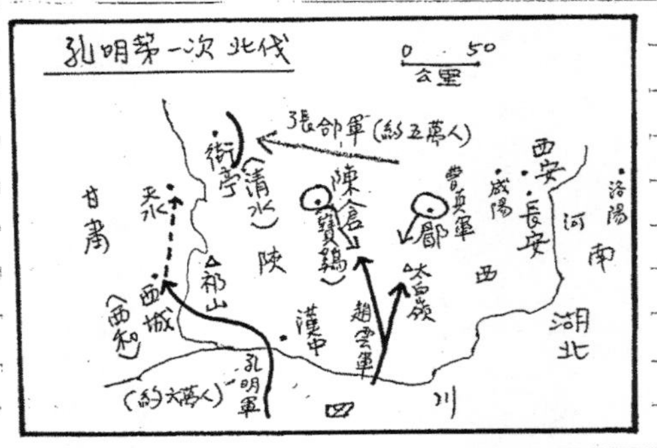

眾將議論，認為太冒險，最後以孔明提案定局，東路軍(趙雲)為佯攻，孔明率大軍，自漢中→祁山→天水→街亭，為迂迴路線。

△第一次北伐因將軍馬謖在街亭任前鋒違反孔明原來作戰計畫而潰敗，東路趙雲也失利，大軍只好撤退，此是建興六年元月至三月的事，詳情勿須贅述。倒是這一战為後世戲劇創作了一齣「孔明揮淚斬馬謖」的戲，代代傳頌，賺人眼淚。

△回蜀後，孔明為承担戰敗之过，上疏自貶三級，以右將軍行丞相事。我國於三十八年大陸失守，總統以下各级將領也曾貶官，這是形式，主要的還在現狀改善，策勵未来。

乙、一場戰役的勝敗，必定和「人」有關，勝敗原因深值後人引為殷鑒，此種經驗教訓應該也是寶貴的「文化遺產」。

△我們常聽現代的演說家說，現代社會是一種「學習型社會」，一個人能成為到甚麼境界，「學者」→「專家」→大師，或者永遠停留在「勞力」階層，只能拿每小時一百元的工資，或每小時五千或更高的大師級價值，這中間差別就是「學習」二字的秘方。

△學習途徑有二，第一是自己本身的領悟力學成；第二是對客觀世界經驗教訓的學習。這是由學者要大師的路。

△用此種「學習理論」來檢討孔明第一次北伐街亭戰役的失敗，就是這場戰役的指揮官馬謖將軍，對兵法的學習不夠通達，沒有領悟到兵法的上乘妙境。他只記得孫子兵法說：「憑高視下，勢如破竹」、「置之死地而後生」，把部隊部署在山上，結果被斷水源而自亂潰敗。用現代術語說馬謖，他是「死讀書，讀書死，書讀死」，此乃學習障礙沒有衝破的關係。

△孔明也有應檢討的地方，他用人不當，劉備臨死還告誡，馬謖這個人不可「大用」。「三國演義」九十六回引詩感慨

失守街亭罪不輕，堪嗟馬謖枉談兵。
轅門斬首嚴軍法，拭淚猶思先帝明。

△街亭戰敗，但唯一有功的是副將王平，他的部隊「全身而退」，無損失，孔明將他進升參軍，封亭侯。他是一個沒讀過書的人，「三國志」記他識字不超十個，他是有悟力的人。

△勸天下讀書人，勿如馬謖自命「吾素讀兵書」，後世還評「堪嗟馬謖枉談兵」，書，白讀了。

3. 孔明於第一次北伐失敗後，才隔半年，又發動第二次北伐，時間隔的很近，一定有特別的原因.

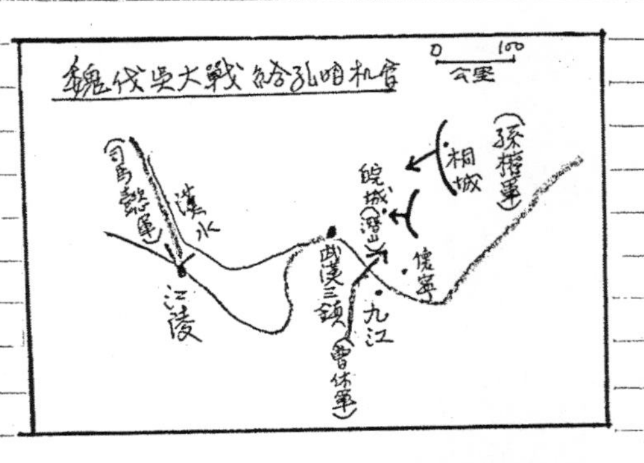

△街亭戰役這年（蜀建興六年、魏太和二年、吳黃初七年）五月，魏大將司馬懿、大司馬曹休，率大軍約二十萬，南征伐東吳孫權. 戰至八月，曹軍敗，又派軍南下支援，至關中空虛.

△是年九月，鮮卑三萬騎兵圍攻魏之馬城（今察哈爾懷安縣北），魏因而南北應戰.

△孔明看出這是一個北伐的大好時機，準備再大舉伐魏，但蜀漢群臣多以街亭之敗，為魏不可伐. 孔明碰到的問題和中國歷史上的「偏安政權」相同，如南宋、南明及民國三十八年後的中華民國，會有一股強大的力量反對「北伐統一」的政策，因為大家都想偏安過日子，不想戰爭. 此乃人性之常，也勿須苛責想偏安的人.

△只有一種力量可以把「北伐統一」信念堅持下去，並執行之. 即堅強有力的領導中心（把意志貫徹到領導階層或全民），或有一黨獨大的優勢，孔明和戒嚴時期的國民黨都是.

△孔明為表徹北伐決心，再上「後出師表」，述明北伐的決心和原因，也是古今之「經典作品」

4、我知道，「漢賊不兩立、王業不偏安、鞠躬盡瘁、死而後已」就是孔明在「後出師表」的名言，這是人性中最偉大的節操吧！

△「後出師表」的觀念、思想也影響日後一千多年來的中國政治思想，其中的名言，在今天的兩岸政壇上，都還是流行的口號與堅持。茲摘要：

先帝慮漢賊不兩立，王業不偏安，故託臣以討賊也。以先帝之明，量臣之才，故知臣伐賊，才弱敵強。然不伐賊，王業亦亡。惟坐而待亡，孰與伐之？是以託臣而弗疑也。臣受命之日，寢不安席，食不甘味。思惟北征，宜先入南，故五月渡瀘，深入不毛……

凡事如是，難可逆料。臣鞠躬盡瘁，死而後已，至於成敗利鈍，非臣之明所能逆覩也。

△孔明這次說的更直接，因甚若苟安於現狀，亦亡，不北伐亡，與其「坐而待亡」，不如出兵北伐。因為「漢賊不兩立、王業不偏安」，至於未來的成敗，以孔明之智，也難以逆料，我想人生便是如此，無人可以逆覩未來。但須「鞠躬盡瘁，死而後已」。我至今每次讀前、後出師表，也還感到鼻酸。

5. 與其坐而亡，不如主動出擊，在第一次北伐後，才休息半年，乃再次發動第二次北伐，此次戰果如何？

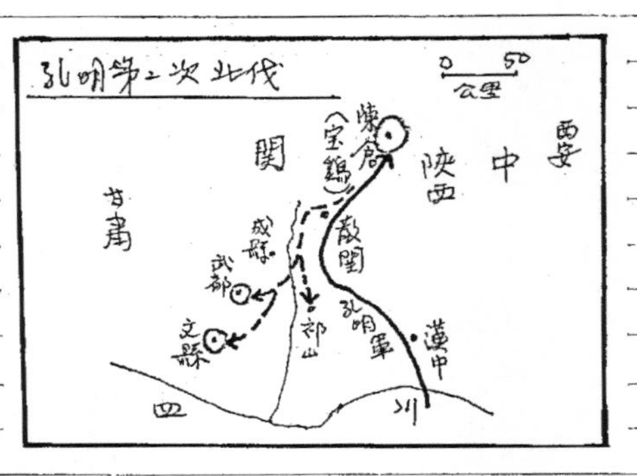

△這次北伐孔明決定先拿下陳倉，因為這裡是魏之軍事重鎮，也因如此，魏軍早已做好防禦之事。陳倉地勢險要，易守難攻，山崖陡峭，古來就是兵家必爭之地。劉邦與項羽爭天下，曾經「明修棧道，暗渡陳倉」，現在守陳倉的是郝昭，兵力約一千人。

△建興六年十二月，孔明率兵四萬，出漢中、散關，圍攻陳倉，心戰招降，郝昭不降。攻戰拖延二十多天，以四萬人圍攻千人，久攻不下，原因何在？蜀軍用雲梯、衝車攻城，郝軍用火箭燒雲梯；蜀軍運土填護城河，郝軍在內又築一道內城對付；蜀軍挖地道，郝軍在內挖橫向地道阻擋。

△這時孔明軍發生糧食困難，魏之援軍也快到，只好退兵。還好，退兵途中攻取魏之武都、陰平（文縣）兩郡，算是意外收獲。也因攻取兩郡，後主劉禪恢復孔明的丞相職。

6、小小一個蜀漢，連年用兵是非常辛苦的，但有時敵人打來了，你也不能不應戰，第三次北伐就是被動的應戰，轉為主動的西征，原因何在？

△魏大將曹真，以設防陳倉，推舉郝昭有功，加封大司馬，建議速謀伐蜀，魏明帝同意。

△魏太和四年秋七月，魏大軍兵分三路，司馬懿沿漢水西上；曹真自長安出子午谷、斜谷；張郃自隴西下建威。各路軍準備在漢中會師。

△孔明早知魏軍三路攻來，已先在城固（陝西城固）一帶部署重兵；同時派將軍魏延率騎兵一軍，西入羌中，為牽制張郃軍隊的大後方，並西結諸戎共同伐魏。

△魏軍出發後，斜谷、漢水地區發生大雨，連下三十多天不止，山洪爆發，魏軍未戰已死傷慘重，不得已只好撤軍

△魏延到羌中，連結各部落，招兵買馬，組成一支「漢羌聯合部隊」，回程與魏軍戰於首陽，大勝。是役，孔明以取得隴西（甘肅東半部）主控權為目標。

孔明第三次北伐：被動應戰變西征

0　100
公里

羌中　魏延軍　隴西　張郃軍　建威　陳倉　郿　曹真軍　長安　斜谷　子午谷　首陽　白龍河　漢中　孔明軍　司馬懿軍　城固　漢水

輯29：出師未捷身先死：死諸葛嚇走生仲達

1.到此时，孔明已進行三次北伐行動，卻未成功，是否該檢討最根本之原因？

△是的，孔明綜合前三次北伐經驗，认為補給路線困难是主因。因補給有限，動員軍隊每次只在五萬上下，必須設法克服。李白有一首長詩「蜀道难」就是講從四川北上関中，山路的險困，大意為：

嘻吁嚱危乎高哉，蜀道之难难上青天……地崩山摧壯士死，然後天梯石棧方鉤連……一夫當関，萬夫莫開，到處亡匪化為狼豺。朝避猛虎，夕避長蛇，磨牙吮血，殺人如麻。

△為解決在險困之地的運補問題，孔明設計两種叫「木牛」和「流馬」的運輸工具，其形制目前已不可考，可能是一種小形車，配合地形而有小車、大車。傳说車的原始設計人是孔夫人黃氏，孔明加以改良，再建立生產線大量製造，唯欠缺考証。

2、有「木牛」和「流馬」解決運輸補給的問題，可以再次北伐了。

△蜀漢建興九年（魏太和五年，231年）春二月，孔明命李平代行丞相府政務，專責後勤糧運。孔明率八萬大軍，同行將領有魏延、劉琰、吳班、王平、高翔、鄧芝、楊儀，都是沙場老將。沿嘉陵江上游，西出四攻祁山。

孔明第四次北伐
0 60
公里
司馬懿
渝麋（陝西汧陽縣東）
街亭
陳倉
散關
甘谷
天水
渭水
祁山
張郃敗死
（孔明軍）
下辨
沮
嘉陵江

△當時守祁山是魏軍，司馬懿擔心孔明「聲西擊東」，故大軍駐守渝麋，只派少數兵力支援祁山，主力不與孔明戰。孔明故意退卻，魏將張郃率軍尾追，被孔明軍伏擊敗死。

正在此時，從成都傳來後主旨令，因補給困難，令先撤軍。

△孔明撤軍回蜀，才發現是李平「假傳聖旨」，本應當斬，貶之為平民，但仍用他兒子李豐為中郎將。亦可見孔明賞罰有時很厚道。

3. 這是孔明生命中的最後一場戰爭了，雖未功成，確轟轟烈烈的，輸的可歌可泣，快告訴大家吧！

△第四次北伐，經過三年的休養生息與準備，終於再發動規模最大的一次軍事行動，也是最後一次。這次是約好孫權，吳蜀兩國動員最大兵力伐魏，蜀出兵十二萬，吳出兵二十餘萬，期一次擊垮曹魏政權。

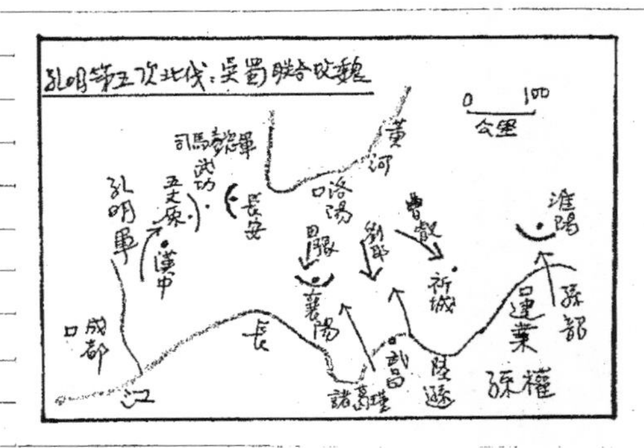

△建興十二年(234年)才過，春二月，孔明率十二萬大軍出漢中，四月出斜谷，在武功五丈原西南佈陣；同時，司馬懿也率大軍在五丈原東側構築營壘對峙，司馬懿知孔明遠征，糧秣不繼，採堅壁不戰的持久策略。

△東方的孫權在等孔明出兵以吸引魏主力，以減低本軍的壓迫。這年五月，孫權二十萬大軍也出動，渡長江，向襄陽和淮陽攻擊。

△孔明這次改變政策，決定用「分兵屯田」打持久戰，結果兩軍相持三個月，司馬懿堅持不戰。孔明進退不成，故意派人送一套女人衣服首飾給司馬懿，想用激將法引魏軍出戰，司馬懿不改其意，一味閉關拒戰。甚至當着蜀軍使者面前，穿起女人衣服，反戲孔明。

4、古人打仗還真有趣，但也不能如此一直对時下去.

△過不久，孔明又派使者到魏营向司馬懿下战書，司馬懿很客氣接待使者，也很関心問起丞相的飲食起居.使者答：「丞相飲食只有常人三分之一.」使者走後，对左右的人说：「孔明来日不多了.」

△司馬懿確实料得很準，孔明積勞成疾，病了.為了更清楚了解，派特使帶了牛、羊肉、酒、補品給孔明，使者転達司馬懿的意思说：「聽说丞相病了，將軍很関心，特别送補品給丞相养身，丞相是我们將軍最敬重的对手，希望快快好起来，將軍準備应战.」

△孔明得知使者来意，要探真病假病，孔明乾脆再来一計「空城計」，接待使者時，把病装的更重，像是一病不起的樣子.

△这下子司馬懿又起疑心了，是否孔明又要引他出战？孔明的病是真是假？左右部將都道是出战時机，只有这位戰区最高指揮官司馬將軍認定孔明在用計誘他出战，孔明愈是引他出战，他偏拒不战.

5、孔明这时确实病的很重，「三国演義」说他正向上天求壽，部將不小心壞了大事，这应該是八卦，把孔明神格化了。

△是八卦，我们姑且當趣事聽。時值建興十二年中秋夜，孔明在帳中設香花祭物，地上分布七盞大灯，外部四十九盞小灯，内安本命灯一盞，若七日主灯不滅，壽可增一紀；如灯滅，必死矣！
孔明依序拜祝，帳外四十九甲士，各執皂旗，穿皂衣，環遶帳外。
此法是孔明所用，鬼谷子所傳「禳星術的七星大法」。

△孔明祈禳到第六天夜裡，是夜，司馬懿仰觀天象，大喜，謂左右曰：「孔明將星失位，不久便死，先派一千軍去探哨。」

△蜀軍部將魏延飛步入帳，「魏軍來也！」腳步太急，主灯滅了。」守護部將姜維來不及阻止，拔劍欲殺魏延，但一切都來不及了。

△孔明用最後的力氣給後主上表遺書：

伏聞生死有常，難逃定數，死之將至，願盡愚忠。臣亮賦性愚拙，遭时艱難；分符擁節，專掌鈞衡；興師北伐，未獲成功；何期病入膏肓，命垂旦夕，不及終事陛下，飲恨無窮……臣家有桑八百株，田十五頃，子孫衣食，自有餘饒。至於臣在外任，隨身所須，悉仰於官，不別治生產。臣死之日，不使内有餘帛，外有餘財，以負陛下也。

△中国自三国以降，国家的统治者清廉程度能做到如此程度者，仅三人，孔明、孙中山和蒋经国。

6. 據說孔明死前還安排了死後如何撤軍，結果用一個木刻的孔明像嚇走了司馬懿的大軍．

△五十四歲的孔明，就在秋風中的五丈原病歿了．他的絕对忠貞，高風亮節，對朋友也是長官劉備託孤的盡責，「鞠躬盡瘁，死而後已」的精神。杜甫在「蜀相」一詩中傷曰：「出師未捷身先死，長使英雄淚滿襟」，太叫人傷心了；杜甫在另一首詩說：

長星昨夜墜前營，訃報先生此日傾．
虎帳不聞施號令，麟台惟優著勳名．
空餘門下三千客，辜負胸中十萬兵．
好看綠陰清晝裏，於今無復遐歌聲．

△孔明預先安排撤軍，刻一孔明木像放車上，待魏將殺來，眾兵把木像推出，擺開陣勢，定能嚇走司馬懿大軍．三國演義把它生動的寫成「見木像魏都督喪胆」，一口氣往回跑了五十里，等他停下還用手摸頭說：「我頭還在否？」

△後世有個諺語「死諸葛嚇走生仲達」（仲達是司馬懿的字），司馬懿自我解嘲說：「我能判斷活人，不能判斷死人．」後人有詩傳曰：

長星半夜落天樞，奔走還疑亮未殂．
關外至今人冷笑，頭顱猶問有和無！

輯30：孔明戰略素養與領導管理的檢討

1、我們中國民間社會，乃至學術界，對孔明有很深的感性，這種感性有些是情緒的，有些是神格化的崇拜，現在要檢討孔明的戰略和領導管理素養，這會涉及專業，必須排除感性、情緒因素，檢討才會客觀、深入是不？

△當然，一定要排除感性因素，針對「專業理論」方面的素養來檢討。尤其戰略這部份，國內素來把戰略區分成四個層次（大戰略、國家戰略、軍事戰略、野戰戰略），東西方歷來也有二區分或三區分者，但以四區分最清楚明白。戰略是一種求勝，求國家長治久安，求國家千秋利益的智慧。

△野戰戰略講甚麼？講野戰用兵的集中與節約、避實與擊虛、內線與外線、奇襲與機動、地形、交通與補給路線之運用。由此決定勝敗，古今中外無例外，凡有例外者，均可以在野戰戰略適用原則的解釋範圍。

△軍事戰略講甚麼？講建立武力、支援國家戰略、爭取軍事目標、獲最大成功與有利效果。

△國家戰略講甚麼？講建設四大國力（政治、軍事、經濟、心理），達成國家目標。

△大戰略講甚麼？講經由國與國關係，建設和平安全機制，如何避戰與接戰，如何在最有利狀態下結束戰爭？最終仍須支持國家目標。

△再者，對國家領導者言，其領導與管理之藝術，還在如何統治（掌控、負責）？如何充份授權的問題。

以上是檢討標準，也等於是一種「打成績」依據。

2. 孔明在大戰略運用上始終如一，是否有可議之處？連續五次北伐是否合乎大戰略原則？

△孔明大戰略的基本政策始終如一，都如「隆中對」言，「東連孫權，曹操不與爭鋒，西和諸戎，南撫夷越」。而且他也做到了。最大一次挫折是劉備發動对孫權戰争，破壞兩國的信任感，原因是孫權原把荊州借劉備，待劉備取得益州、漢中時，孫權想要回荊州，劉備推拖暫緩，孫權感受到劉備的壯大是不利，乃聯合曹操攻打駐在荊州的關羽，結果關羽戰死，荊州淪陷。

△劉備為替關羽報仇，發動对吳戰争，結果自己也死了，也破壞了孫劉聯盟基礎。如此一来，蜀國等於兩面受敌，北方曹操和東方孫權，以蜀國之小，要面对兩大強權，这是違反大戰略原則的。这些當然不能全歸过於孔明，但當劉備要發動对吳戰争时，孔明始終没有勸阻，歷史評價上对此頗有「微詞」。

△至於連續發動五次北伐是否太多，按第一次（孔明四十八歲）到第五次（五十四歲死於五丈原），平均每一年多就有一次战爭。依「孫子兵法」说的標準「糧不三載，役不再籍」，五次北伐是有不合大戰略原則之処。若能集中实力，二次，最多不过三次，应為較佳方案。

△不知是否大战略的不夠周全，才使「出師未捷身先死」，杜甫詠詩道出遺恨：

功蓋三分國，名成八陣圖。

江流石不轉，遺恨失吞吳。（八陣圖）。

3.連孔明這完美的人都有遺恨,在國家戰略這個層次是否有可議之處?

△國家戰略的建設分四方面:政治、經濟、軍事、心理。

政治方面:約官職、修法制,力行嚴法政策、強化中央集權,鞏固統治基礎;用人唯才、唯賢,廣納雅言。

經濟方面:開發資源,發展地方經濟,促進國際貿易,設鹽鐵官,統一買賣。

心理方面:置重點於如何把「北伐統一、復興漢室」成為一種全民共識,君臣共同努力的目標,這個做法,有似我們在戒嚴時期用三民主義凝聚全民思想,使「反攻大陸」成為全民共識相同。

軍事方面:這部份很明顯的是不能支持大戰略及國家戰略目標,總目標是「北伐中原,恢復漢室」,而軍事戰略建設只有十萬兵力

綜合國家戰略的四大建設,戰略關係產生斷層,空有高遠的戰略目標,達成目標的武力卻不足,為得值可議之處。

各層級戰略關係

上對下指導 ↓ ／ 下對上支持 ↑

大戰略

國家戰略

軍事戰略

野戰戰略

4. 軍事戰略的重點是一個國家到底要多少軍隊？才能達成國家目標．對孔明言，是最直接涉及北伐成敗的原因了．

△一個國家須要多少兵力，端視國家目標、和平與安全性決定．例如現在美國仍須200萬武裝部隊，韓國要六十萬，我國仍維持四十萬兵力．

三國兵力與人口比率			
	總兵力（平均數）	總人口	兵力佔總人口比
吳	30萬	230萬	9/100
蜀	10萬	90萬	10/100
魏	60萬	440萬	13/100

△蜀漢兵力始終維持在10萬左右，以此兵力想要完成國家目標（北伐中原，統一中國），就戰國以來（戰國七雄、前漢）的實戰範例看，明顯太弱太低．蜀國人口有限是重要原因．

△但這並非不可突破，仍有解決之道，採用法家政策「兵農合一」制，則蜀國兵力至少提高三倍，達三十萬．以孔明才智，屬下又有效命將才，加上30萬兵力，應該所向無敵，北伐成功的機率大大提高．

△孔明在思想上屬儒家，內政作為介於儒法之間而有法家風格，為何在軍事制度上未採法家，如今已不可考証．但軍事戰略明顯不能支持國家戰略，故五次北伐全部失敗．

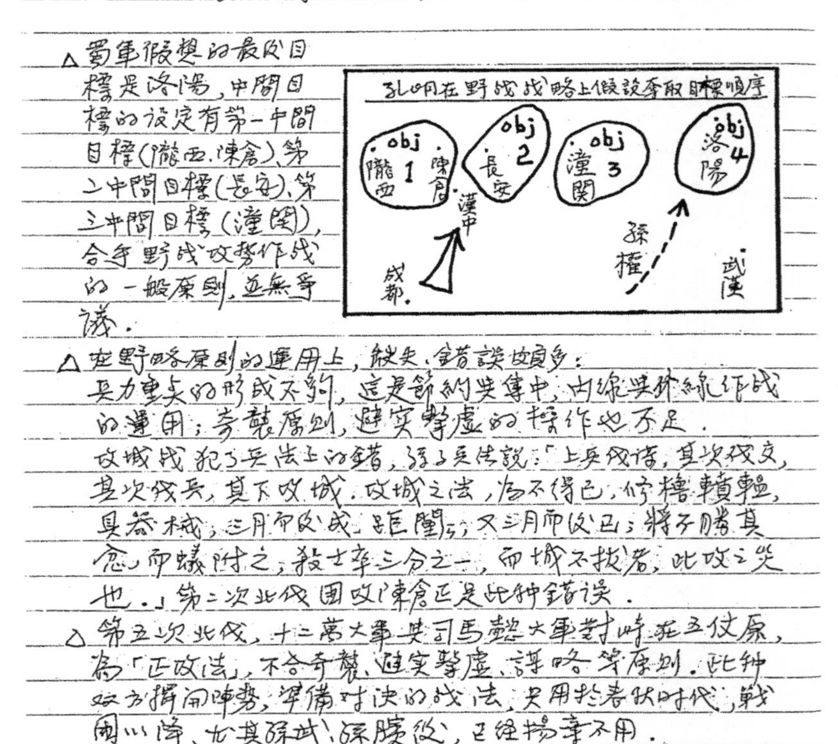

5. 戰略的最底層是野戰戰略，就這方面的檢討如何？

△蜀軍假想的最終目標是洛陽，中間目標的設定有第一中間目標（隴西、陳倉）、第二中間目標（長安）、第三中間目標（潼關），合乎野戰攻勢作戰的一般原則，並無爭議。

△在野略原則的運用上，缺失、錯誤頗多：
兵力重点的形成不夠，這是節約與集中、內線與外線作戰的運用；奇襲原則，避實擊虛的操作也不足。
攻城戰犯了兵法上的錯，孫子兵法說：「上兵伐謀，其次伐交，其次伐兵，其下攻城。攻城之法，為不得已，修櫓轒轀，具器械，三月而後成，距闉，又三月而後已；將不勝其忿，而蟻附之，殺士卒三分之一，而城不拔者，此攻之災也。」第二次北伐圍攻陳倉正是此种錯誤。

△第五次北伐，十二萬大軍與司馬懿大軍對峙於五丈原，為「正攻法」，不合奇襲、避實擊虛、謀略等原則。此种敵方擺開陣勢，準備对决的戰法，只用於春秋时代，戰國以降，尤其孫武、孫臏後，已經揚棄不用。

△孔明在野戰用兵上水平，和我們所知傳說中「神機妙算的孔明」落差太大。

6. 孔明在領導管理上事必躬親，不僅中央集權，而且是「一條鞭法」，能否分析其利弊？

△這部份在一般評論者已有共識，不管國家的領導階層，或其他各類型的組織領導，上中下層各有職責，頂層領導者不能事必躬親，一把全抓。分層負責，充份（或部份）授權是必須的。

△孔明以一人獨撐蜀漢大局，事必躬親，沒有家庭生活，沒有個人休閒生活，「三顧茅廬」後到死都如此。他的部屬都建議他要授權，孔明就是「放不下」；最後在五丈原戰場，司馬懿聽到孔明每日食量只常人三分之一，部屬凡有犯打二十板以上的處罰，都由孔明親自執行，司馬懿說：「孔明活不久了，他是被自己累死的。」

△確實，孔明被自己累死，恰如出師表云：「鞠躬盡瘁，死而後已」。人生喜歡就好吧！文天祥也說：「鼎鑊　如　」。

輯31：身後的孔明

1. 孔明兩腿一蹬，走了，但他身後與他生前同樣精彩感動人，聽眾也一定有興趣，請陳老師說說：

△孔明身後有很多感人事蹟，他臨終留有遺命，要葬在漢中定軍山（今陝西沔縣），要「因山為墳，冢足容棺，殮以時服，不須器物。」可見他多麼節約儉樸。在漢朝正流行厚葬，孔明卻不隨流行，真是與眾不同的人物。

△生前給後主的上表也說：「任公職期間，不另做其他生財投資，不使自己錢財增加，死時若有多出財物，便是對不起國家。」我在本節目曾談過，孔明以下千餘年來，中國政壇上的國家領導人，清廉程度能做到像孔明一樣「純」的，只有三人。國父孫中山先生、先總統經國先生二人。

△國父臨終前有兩份遺囑，一者眾人皆知「余致力於國民革命……」，另一份給妻子宋慶齡，這份遺囑世間知道者不多，大意說：「我一生致力國民革命，未致私財，沒有財產可以留給妳，只有房間裡還有一些書，交給你保管。」

△經國先生也是全部奉獻國家，不治私產，連他當總統的薪水，也都把大部拿來救助窮人。他的夫人目前尚在，只有公家房屋可住，也沒有私人豪華別墅，歷史已經給經國先生崇高定位了。

△當國家元首要搞錢太容易，袁世凱留的遺囑交待「大老婆給若干、二老婆給若干、三老婆……」；目前在台灣還有一個卸任國家元首，以日本皇民自居，中了日本右翼毒素的總統，現在官司纏身。

2、身為國家元首，利用職務之便拼命撈錢的，目前人尚在的，可能涉及政治因素，不便評談，但歷史會給他審判，人民也不全是一些「死忠」者，廣大的人民群眾（現在及未來）才是最後最公平的審判者。

△孔明死後，蜀漢百姓對他感念不已，陳壽在「諸葛亮集表」中說：「黎庶追思，以為口實，至今梁、益之民，咨述亮者，言猶在耳。」蜀漢百姓紛紛請求為他立廟，但當時的禮制不合規定，百姓又在郊道私祭，但也不能禁止，尤其春秋節日，城內外祭拜者更多。

△在南夷、西戎，聞孔明死，都為他服喪，朱孟震在「浣水續談」一書說出典故：

蜀山谷民皆冠帛，相傳為諸葛公服喪，所居深遠者，後遂不除。今蜀人不問有服無服，皆帶素帽。市井中人，十常八九，謂之帶天孝。

△後來步兵校尉習隆、中書郎向充上表後主：

周人懷召伯之德……亮德範遐邇，勳蓋季世，王室之不壞，實斯人是賴……百姓巷祭，戎夷野祀，非所以存功念德……宜因近其墓，立之于沔陽。」

△才在漢中墓旁的沔陽立廟，這一年是後主炎興元年（魏景元四年、吳景耀六年、西元二六三年）春，這年秋蜀亡，隔年魏亡，再十六年，吳亦亡，三國結束（二八〇年）。

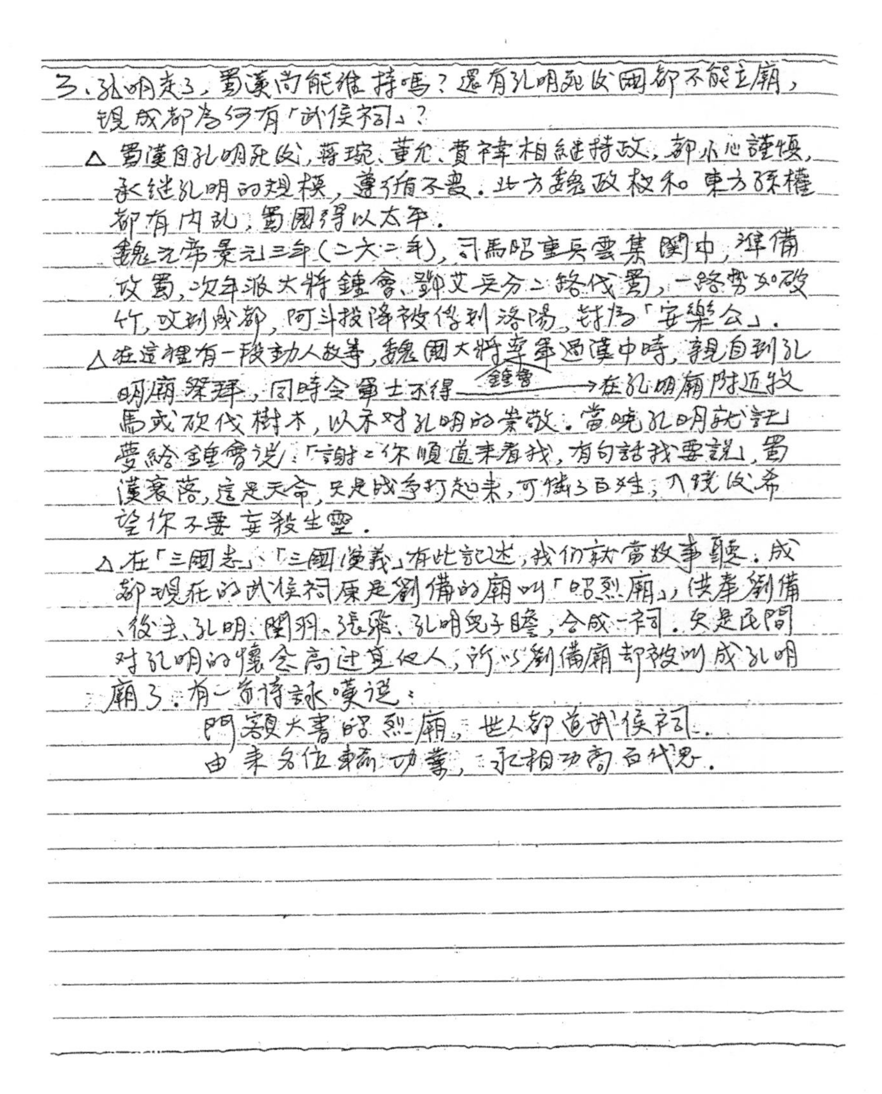

3、孔明走了，蜀漢尚能維持嗎？還有孔明死後國都不能立廟，
但成都為何有「武侯祠」？

△ 蜀漢自孔明死後，蔣琬、董允、費禕相繼持政，都小心謹慎，承繼孔明的規模，遵循不變。北方魏政權和東方孫權都有內亂，蜀國得以太平。

魏元帝景元三年（二六二年），司馬昭重兵雲集關中，準備攻蜀，次年派大將鍾會、鄧艾兵分二路伐蜀，一路勢如破竹，攻到成都，阿斗投降被俘到洛陽，封為「安樂公」。

△ 在這裡有一段動人故事，魏國大將鍾會過漢中時，親自到孔明廟祭拜，同時令軍士不得在孔明廟附近牧馬或砍伐樹木，以示對孔明的崇敬。當晚孔明就託夢給鍾會說：「謝謝你順道來看我，有句話我要說」，蜀漢衰落，這是天命，只是戰爭打起來，可憐了百姓，入境後希望你不要妄殺生靈。

△ 在「三國志」、「三國演義」有此記述，我們就當故事聽。成都現在的武侯祠原是劉備的廟叫「昭烈廟」，供奉劉備、後主、孔明、關羽、張飛、孔明兒子瞻，合成一祠。只是民間對孔明的懷念高過其他人，所以劉備廟都被叫成孔明廟了。有一首詩詠嘆說：

門額大書昭烈廟，世人都道武侯祠。
由來名位輸功業，丞相功高百代思。

4. 孔明一生可謂「驚天地、泣鬼神」，情操志節感動天地，不知他的子孫如何？

△孔明很重視孩子的教育，他也依「自己的樣子」調教孩子。在他的「誡子書」中提到：

夫君子之行，靜以修身，儉以養德，非淡泊無以明志，非寧靜無以致遠。夫學須靜也，才須學也，非學無以廣才，非志無以成學。淫慢則不能勵精，險躁則不能治性。年與時馳，意與日去，遂成枯落，多不接世，悲守窮廬，將復何及！

△孔明告訴子弟，「才」是學來的，要把握光陰好好學習，否則以後老了，悲守窮廬，就來不及了。

孔明的兒子諸葛瞻，十七歲和後主的女兒結婚，也做到軍師將軍，鍾會伐蜀時，他和長子諸葛尚都在作戰中陣亡。

△諸葛亮、諸葛瞻、諸葛尚祖孫三人，都為蜀漢效命死在戰場，可謂滿門忠孝。歷史上類似者不多（如「楊家將」的故事，一門忠烈。），才會「驚天地，泣鬼神」。

△諸葛瞻的次子諸葛京，三國結束後在晉朝做官，受封郿縣縣令（在陳倉附近，他祖父孔明五次北伐都沒有拿下的地方。）。或許主事者要告慰孔明在天之靈，謂你一生拿不下來的地方，現在叫你孫子拿了，你安心的去吧！

浙江蘭溪市的諸葛八卦村，除了因爲諸葛家族在當地居住而得名，更因整個村落呈八卦型式建築而取勝，這也是大陸第一座八卦布局的村莊。

△距浙江千島湖約四十分鐘車程的諸葛八卦村，據傳是三國諸葛亮的第二十七世孫諸葛大獅在高隆（現諸葛村）安家落戶後，運用自己學到的陰陽堪輿學，按九宮八卦構思，精心設計整個八卦村的布局。村外有八座小山，形成外八卦；村內以鐘池爲中心，環繞鐘池，八條小巷向外輻射，形成內八卦。村內房屋分布在八條小巷，雖然房屋及居民數百年來不斷增多，但九宮八卦的總體布局一直不變。而且村內建築大多有上百年歷史。

△八卦村中共有十八座大小廳堂、四座廟宇，石牌坊三座及兩座花園別墅。內八卦核心的鐘池，及中醫藥展覽館的大經堂、江南唯一的諸葛亮紀念堂大公堂，是八卦村重鎭。

由於八卦村布局奇妙，有如迷宮，據稱曾有盜賊進入村內偷盜，最後卻走不出村莊。而且，國民革命軍北伐時，南北雙方在八卦村附近激戰三天，竟然沒有子彈砲彈落入村子，整個村莊安好無損。就連抗戰時，一隊日軍從村外高隆崗大道經過，竟然沒有發現這個村莊。

此外，村內的居民仍保留明清時代的遺風，老人頭戴氈帽，身穿棉襖，狀似明清小說戲曲中的人物。

既然是諸葛亮的後裔，諸葛八卦村每年兩個最重要的日子，就是農歷四月十四日諸葛亮的誕辰，及八月二十八日諸葛亮的忌日。這兩個大日子，全村人都要參加隆重的祭祖大典，並舉辦廟會及請戲班來演戲。

5、算一算，孔明已经走了1770年（西元234年死～2004年），不过他好像永远活在中國的民间社会？

△是的，他像一個活生生的人，就在許多人身旁。你常會說一句口頭禪「三個臭皮匠勝过一個諸葛亮」，談到神机妙算就是講孔明。民間戲曲常有的節目，如「孔明揮淚斬馬謖」、「空城計」、「借東風」、「諸葛亮招親」，都在講孔明。

△有酒場文化中有一種叫「孔明拳」（或叫「三国拳」）：
一枝獨秀、兩袖清風、三請孔明、四足一脚、
五月渡瀘、六出祁山、七擒七縱、八月東風、
九九联環、十全十美。
民間社會把他神格化了，所以「十全十美」。

△現在我們元宵放天灯，又叫「孔明灯」，當时孔明在傳送軍情用的，一灯昇起、二灯昇起……都各有不同意義。

△民間信仰的「恩主公」、「関公」正是関羽，我們通常尊稱「関聖帝君」或「伽藍菩薩」，也算是和孔明有一点「関係」了。所以，民间社会孔明和他身边的人（如関公），是有高度崇拜的。

△関公為何稱「伽藍菩薩」，有二個說法。第一，関公在與孫權的戰役中，兵敗被殺身亡，首級被東吳斬去，関公心有不干，在空中不斷喊着「還我頭來」。某日，碰到普淨大師為他开示：「関將軍，你过五関斬六將时，不也殺了許多人，不也該還他們人頭嗎？冤冤相報，沒完沒了！」関公开悟，乃皈依三宝。
第二、皈依智者大師，隋开皇十二年（592年）十二月，天台宗祖師智者大師到荊州，建玉泉寺，関公幽靈現身，智者大師為他开示，関公受持五戒，并願護法、護教。

△現在中台禪寺伽藍殿的「伽藍菩薩聖像」正是関公。「伽藍」即是道場。

6、現在大陸旅遊流行，順便介紹「武侯祠」在成都那裡？
我們自幼少讀他的「出師表」，前往拜見也是了卻心願之一。

△武侯祠位於成都解放南路和一環路交叉口附近，算是成都南門。

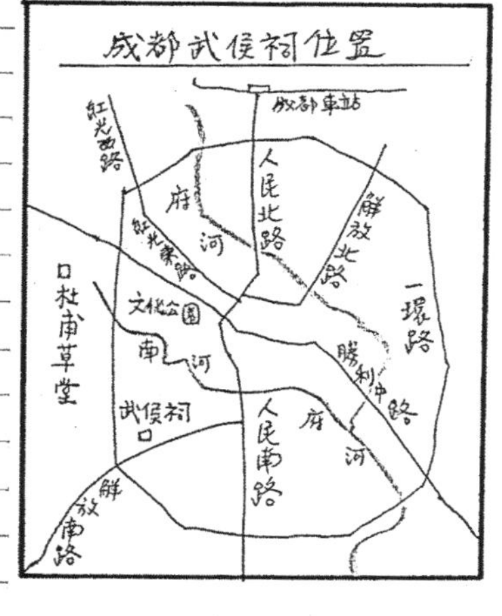

△武侯祠始建於唐上元元年（七六0年），是肅宗時代。明朝時，旁邊蓋有劉備之墓，即「昭烈廟」，兩者合稱「君臣廟」，廣受蜀民敬拜。

△一進正門可看到聳立於前的「劉備殿」，內有劉備銅像，壁上有「隆中對」的匾額。兩側有關羽、張飛等二十八位文武官員之塑像。

△再往內走是「諸葛亮殿」，內有一座氣度從容、神采軒昂的諸葛亮像，牆上也有對他的文事武功讚頌的匾額及對聯。

△另外，長江三峽也有許多和孔明有關的景點，白帝城是劉備託孤孔明的地方。西陵峽中有「兵書寶劍峽」，傳說是孔明北伐時殘留的寶劍和兵書所形成。

△沿長江再下到武漢、襄陽，還有古戰場「赤壁」、武侯宮、古隆中、劉備三顧草廬的「三顧堂」。

輯32：千百年論戰：「漢賊不兩立」

1、孔明的故事到今天似乎講完了，但又好像沒有，他說的「北定中原、復興漢室」、「漢賊不兩立，王業不偏安」，好像我們這半世紀來努力的目標。

△先說「北伐」好了，中國歷史上自孔明後，還有二個類似的「偏安政權」，因其「天命」的使命感必須北伐，一個是南明鄭成功退守金廈與台灣的一段政權，史稱「南明」。另一段則是民國三十八年後的中華民國在金馬台澎，不知以後歷史如何稱謂，這半世紀來也在致力於「北定中原，復興漢室」的大業，至今仍未中止。

△孔明的已經談過，中華民國則毋須贅述，故稍簡介鄭成功的北伐事業。清順治七年（一六五〇年）鄭成功據金門、廈门，十一年攻陷漳、泉諸州；十二年攻下舟山。十六年大舉北伐取鎮江；圍南京，因戰略上錯誤而敗。十八年收復台灣，次年死，繼承者鄭經、鄭克塽都無力再推動大規模北伐事業。康熙二十二年（一六八三年），施琅收復台灣。

△這三個「偏安政權」的共同處是：

第一、第一代領導人（孔明、鄭成功、蔣中正），居於「天命」必須北伐。

第二、繼起者都無力（或不願）北伐，而開始「本土化」。

第三、北伐都沒有成功，「復興漢室」或「反攻大陸」最後都落空。

第四、三個弱小的政權面對較大政權，戰略上都採「示弱於敵」。

△三個政權的北伐都沒有成功，不只這三個，中國歷史上凡政權偏於一隅或東南沿海，北伐都沒有成功的。唯一的例外，是民國十七年北伐成功，次年全國統一。

第五、前兩個偏安政權最後都被中國統一，我們可能是第三！

2、陳老師的意思是說，孔明、鄭成功在台灣、先總統蔣公到台灣，他們已經心裡有數，北伐成功机率極小，只因「天命」，他必須「示強於敵」，不斷北伐嗎？

△是的，居於「天命」他必須北伐，如孔明說的「漢賊不兩立、王業不偏安」，不北伐就是「坐以待斃」，以其坐而亡，不如起而行，積極北伐（軍事行動、政治口號都行）。

△還有一個原因，是為個人的歷史地位，必須北伐。若不北伐，他只是一個「偏安的軍閥」，甚至可能中國歷史上的叛徒。北伐不論成敗，他都是民族英雄，在歷史有一定的地位和評價。

△偏安政權最後都被強大的一方所統一，如孔明走後的蜀漢、鄭成功走後的南明殘局。中華民國是否如此，這是一個「未來式」，孔明在世也難以預料（後出師表）。中國歷史「分久必合、合久必分」都是真實的鐵律，西方也是如此，我們應該在意「用甚麼方式合？」的問題，如果都在「漢室」之中，合只是回到中國，而且利多，又何須在乎誰來統治呢？只要讓人民過好日子就行了。

△我的意思是合起來大家都是「漢」，不是「賊」，是最好的結局；若分開（偏安），必有一個是漢，一個是賊，那誰是漢？誰是賊？由誰來決定？通常是偏安的一方會是賊。

3. 陳老師這一說讓人心驚，我們（台灣）現在是漢是賊，我們不是早已放棄「漢賊不兩立」政策嗎？或我們二者皆非？

△這得從兩岸關係說起，先說台灣。在民國六十年之前，我們在聯合國有席位，與多數大國有邦交，聯合國席位的名稱就叫「中國代表權」。因此，中華民國是合法的中國代表權，我們是「漢」可以肯定，且以此自命。從台灣的觀點，民國六十年以前（或六十八年中美斷交），對岸確實「非中國」的，他們走純粹的馬列共產主義路線，極力進行「去中國化」，所以那時他們事實上是賊，也是匪。

△但曾幾何時，對岸開始「質變」，從「賊」漸趨於「漢」。他們發現馬列共產主義路走不下去，只好改走「中國式社會主義」；更發現「去中國化」也是死路，「去中國化」必須去除中國的東西，包含四書五經、孔孟思想、四維八德，全部得「丟進茅坑裡」，人豈不回到石器時代的原始社會。於是，他們回頭找尋中國，並積極「中國化」，未來只要共產黨「非共化」，好好走中國式社會主義，他便是「漢」，他便是正統的中國。

△兩岸這半世紀以來，事實上就是「漢」與「賊」的消長，在向前推幾千年，政治勢力所爭的也是這個問題。周定王瑜元年（前606年），「左傳」記錄一則「楚子問鼎事件」，楚莊王把軍隊開到周天子的王畿附近，有武力推翻的企圖。定王派王孫滿「勞軍」並告誡：

在德不在鼎，昔夏之方有德也，遠方圖物，貢金九牧，鑄鼎象物……商紂暴虐，鼎遷于周……周德雖衰，天命未改，鼎之輕重，未可問也。

△中國地盤上只有一個能擁有「合法性的統治權」，其決定在文化與道德，非武力。孔明在「前、後出師表」、「正議」等文，所述正是這些，孔明爭的是「合法性」。

△由此推論，中國自夏商周三代以來，政壇上只有一個問題，誰是漢？誰是賊？

4、真是我們放棄了「漢賊不兩立」，還會受制於是漢是賊的限制嗎？

△有一位父親，不滿兒子不務正業，登報「放棄」父子關係，請問父子關係放棄了嗎？這雖不能「充份說明」，但確實如此。就好像一個血液中流着中國人血統的人，他宣稱「放棄中國人身份」，說自己「不是中國人」，在法律上是可以的。在本質上（血統、文化）是不通的，因此「漢賊不兩立」並非單純的武力、法律問題，他是深層的文化、血統問題。

△中華民國雖然放棄「漢賊不兩立」政策，這只是單方面形式上、自我滿足的表象，或頂多是~~手段~~爭取國際關係的手段。在本質、結構層面上，絲毫沒有改變。

△更不樂觀的一点，獨派刻意用政治意識形態操弄人心，進行「去中國化」，我們的「中國屬性」日趨降低，結果是離「漢」愈遠，離「賊」愈近；因為漢賊的決定在道德與文化，當我們漸漸失去中華文化（例如儒家文明、四維八德、忠孝節義等中國式文化內涵），我們就會是「賊」。

△也許有人問：不是放棄了嗎，即非漢，也非賊。非也，父親登報「放棄」父子關係，放棄了嗎？
放棄了中國，我們便是賊。

5. 剛才說「孔明爭的是合法性」，其實三國（吳蜀魏）不多合法嗎？歷史承認他，當時的人民承認他。

△這裡首先我們要分清二個字的意義，第一個是「合法」（Legality），指一定的法律程序走完（議會通過，元首公佈執行）就算「合法」；「核四」各種預算、規定都走完法律程序，所以蓋核四是「合法的行為」。
另一個字是「合法性」（Legitimacy）是政治上有效統治的基礎，是治者與被治者共認的信念，存在於社會與人民心中，有意識和無意識默認信守之「天經地義」。核四因為合法性不足，部份人有疑慮，故執行困難。

△吳蜀魏三國，東吳只是爭鬥不足論，合法性之爭只剩下蜀漢與曹魏，在晉陳壽的「三國志」和宋司馬光「資治通鑑」都以曹魏為正統。但因曹丕「篡」漢，自明朝以後的史家又以蜀漢為正統（有合法性的政權），由此觀來，孔明的五次北伐是成功。

△當然，魏、吳在當時，其地盤上的人民也是支持（不管願意、不願意）。只是合法性由當時當地人民支持是不夠的，還要經過歷史、文化、史家、更廣大人民的支持才行。就好像「核四」該不該蓋，僅由當地（貢寮）人民決定是不夠的，合法性太弱，它要縣、區，乃至全國的共識，這樣的合法性就牢不可破。

△孔明在當時最小最弱，五次北伐也失敗，但他得到合法性的正統地位。三國眾英雄中，他是最大的成功者、勝利者，因為他堅持「一個中國」。

6、還有一個問題，若「非中國、去中國」都是賊，那麼中國歷史上的元、清朝，本來都是賊（異族），為何「賊」可以統治「漢」？

△不僅元、清朝本來是「賊」，其他各朝，乃至中華民國在尚未建立時都是賊，美國乃至許多國家，開始的時候也是賊。例如國父革命，在滿清的律法言，就是非法行為，是「造反」。新大陸居民最初向英國抗爭、爆動、戰爭，就英國的法律言，都是造反。政治學上談國家形成時，都說是武力造成，就是一種「非法、造反」的行為，我們學術界給它一個名詞叫「逆取」。

△「逆取」成功與否，端賴合法性的高低。再以國父革命做如下論述：

滿清政府貪污腐敗，政權的合法性降低，一時之間仍算「合法」政權，支持度日趨降低；國父造反，依法是「非法行為」，惟支持度日增，合法性昇高，終於成為「國民革命」。

革命成功後，獲得政權，國號曰「中華民國」，施政以民心為依歸，學術界給他一個名詞叫「順守」。

△「逆取順守」是中國歷代政權取得與維持的「常規」，世界上絕大多數國家在建立過程亦如此。甚至劉備、孔明的蜀漢也是「非法取得」，再經合法治理。有些像今天的美國，說某國人民水深火熱，去把人家政權推翻，重新建立一個所謂的「合法政權」，也都是「逆取順守」的實例操作。

第十章
最後能拿筆寫字的小朋友㈠：陳佳青

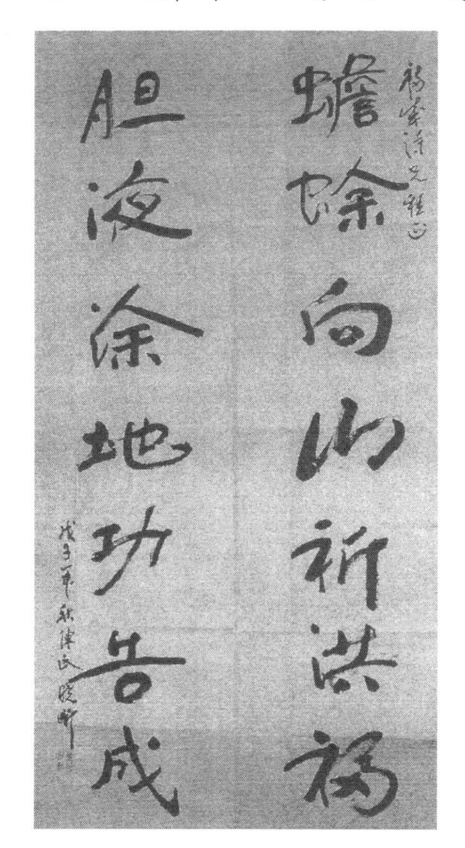

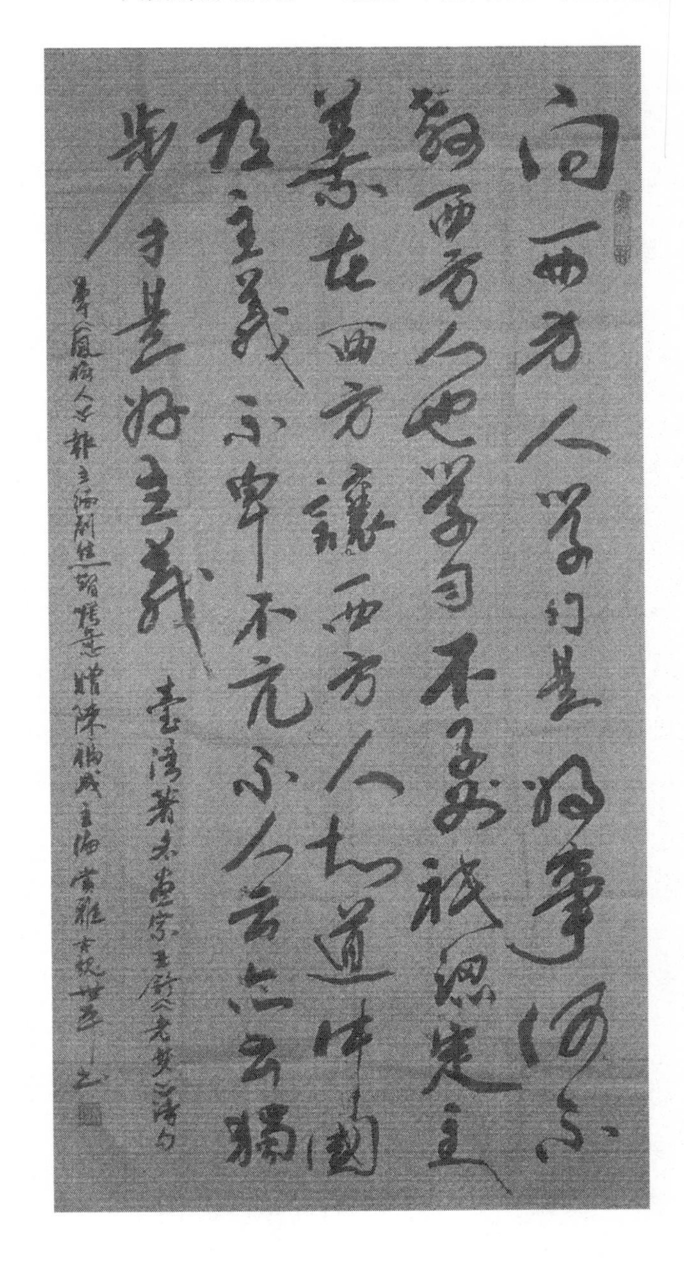

評語

七月二十九日　第0週　星期：四　天氣：晴

、、、、
、、因為國文要寫讀書報告、所以我選了一本著
名的古典小說—封神榜、、
、、我從小學接觸到封神榜後、就深深的被吸引
住了、看他各種法寶、陣列反法術、多麼有趣、
在這本書中、我比較喜歡楊戩和哪吒、楊戩在本
書出場次數不多、但他的道術神奇、反應靈敏、
將許多的危機化解、而哪吒、他好勝、調皮、又
天不怕地不怕、他把夜叉打死、龍王三太子的筋
抽去了又把龍王猛打一頓、撕龍鱗、這實在令我
感到痛快、像龍王那一類形的人、仗著官大就耀

好真是古典與現代兼愛

評語

月　日　第　週　星期：　天氣：

武揚威，而哪吒替我出了胸中之氣，真厲害！哪吒自剖其腹、剜腸剔骨，將自己的血肉還給了父母，但李靖為了保住自己的王位，卻毀了哪吒的廟，在哪吒以蓮花身復活後，他和李靖已不具有血肉關係了，而是名義上的關係，他曾追著李靖滿山追，令我看了大呼過癮，最後燃燈出面調停，他真不愧是有高智慧的道者，他並沒有說出像「天下無不是的父母」這種歪理，而哪吒也聽了他的話。

封神榜是一部好書，很多中國古典文學我都喜歡看，只不過是這部特別令我印象深刻。

Aug 3

評語

七月二十日 第X週 星期：五 天氣：晴

．．今天全省停電，昨天晚上冷氣吹一半時，忽然冷氣發出怪聲，因為懶得起來看，所以最媽進來幫我開窗戶順便告訴我停電了。

．．第二天早上，懶洋洋得爬起來，順手打開電燈，發現電已經來了，那時我還不知道全省停電。

．．來到校後，才發現教室昏暗暗的，聽同學說才知道停電，我就待在教室外吹風，好涼快！

．．等到電停了才發現電很重要，看來真的要珍惜電。

的確！

評語

3

八月四日 第 週 星期：二 天氣：陰

最近開始少考了，為了不讓外面的聲音影響我讀書，決定恢復用耳機來聽音樂了。聽的是「WILD WILD WEST」的原聲帶，是表哥買的，這部電影我看過了，非常暴虐，此外，順便聽了「CANDY MAN」這首，因為耳機開得很大聲，外面的聲音都聽不到，反而更能專心念書。

我打算再多買一些CD，以後每天都邊寫邊聽，來幫助我專心。

這可能會造成耳朵重大的負擔喔！請三思

評語

八月九日　第　週　星期：一　天氣：晴

今天班上有轉學生，畢竟從一年級開始都沒轉入新同學，所以突然轉進的同學，令我嚇一跳。

回家後跟哥提到這件事，說有一些不習慣，畢竟是不認識的人，哥說：「要習慣這些，在附中轉班的事常有，只要經過申請即可，像哥就轉班過。」

我們熟悉的圈子，又加入一位同學，也不清楚自己感覺如何，心頭總覺得奇怪。

久了就適應了！

評語

5

八月十一日　第　週　星期：四　天氣：陰

這禮拜六、日要去綠色山莊玩，每年的寒暑假都會和爸的幾個朋友及他們兒女一起玩，其中有跟我同年的，我們都是從小就認識的好友。我們每次見面都玩得好快樂，綠色山莊環境幽靜，又很涼爽，而且住的是小木屋，感覺很自然，我們幾個好友常一起玩耍、聊天，不過我都和男生玩在一起，因為另外幾個女生都比我大，而且太文靜了，跟我不合。

一定要先努力寫完功課，因為我不想玩回來後還要寫功課。

先苦後甜

Aug.13

評語

八月十七日　第　週　星期：一　天氣：晴

　週休二日的兩天我去苗栗的綠色山莊玩，

　和學淵他們見面後，就去房間下棋，玩累了就去打電動，順便喝果汁，結果到晚上才發現一大瓶果汁全被喝光了。

　晚上我們去夜遊，走在路上，夜風徐徐吹來真涼快，我們幾個人說說笑笑的又走了回來，我們去看了賽夏族的祭典，看了一下就跑走了，因為實在不怎麼好看。

　隔天去溯溪，我、學淵、學漢及幾個大人一起往溪的上游走，我們爬過大石頭，涉過深水，

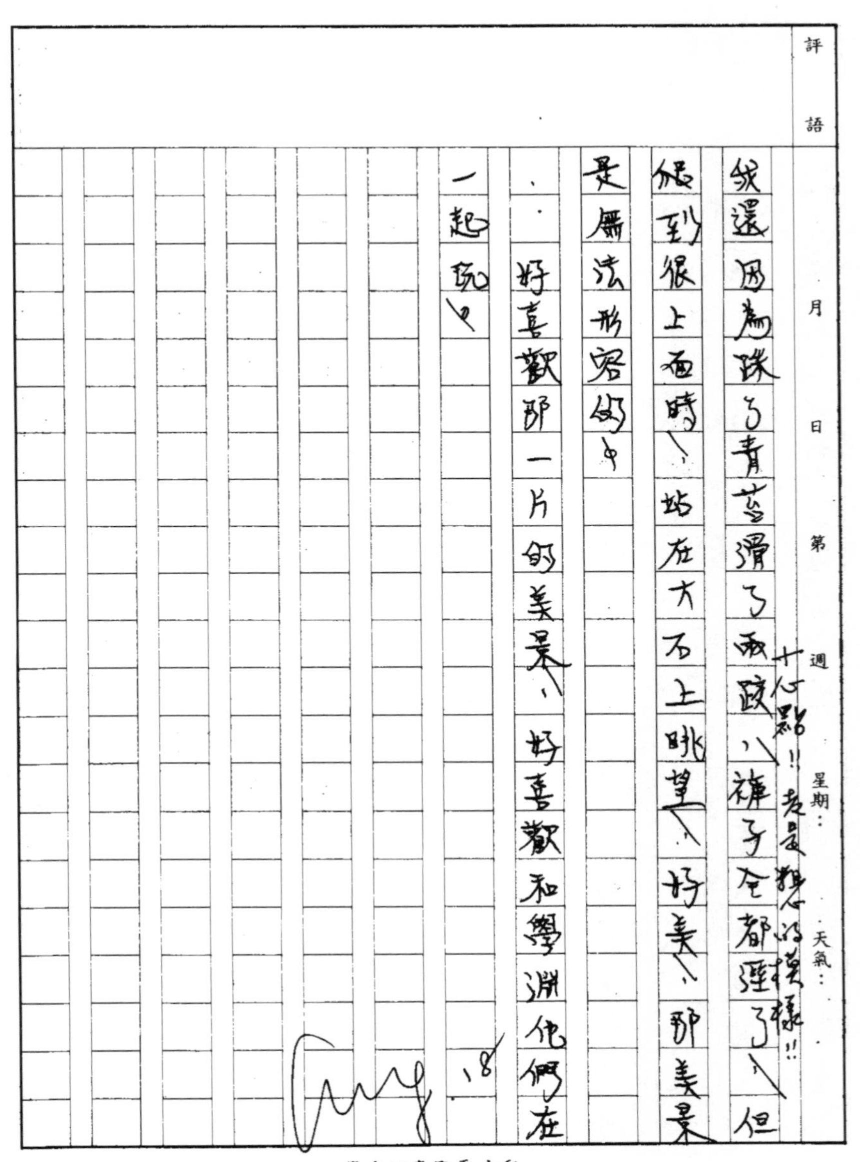
評語

月　日　第　週　星期：　天氣：

我還因為踩了青苔滑了兩跤、褲子全都溼了、但爬到很上面時、站在大石上眺望、好美、那美景是無法形容的。

……好喜歡那一片的美景、好喜歡和學淵他們在一起玩。

小心點!! 老是粗心的模樣!!

私立再興高級中學

評語

八月六日 第 週 星期：二 天氣：晴

小

、、暑假快結束了、總覺得一直在上課、好像也沒放多少天的假日、

、、每天都在上課、一大堆的自修、令我厭惡初三的生活、新課本尚未發下、抽屜已塞滿了、真不知開學後課本要放哪！、

、、對於模擬考、似懂非懂、只聽說很難、以前的東西早忘得差不多了、好煩！

、、真厭惡聯考、也非常討厭教育部的人！

他們也已著手往廢除聯考的方向走了！

別情緒化，K？

Aug. 19

評語

八月廿日　第　週　星期：五　天氣：晴

……

…今天上學時、發現哥還閒閒的躺著睡覺、才想起他今天不必上課了、

、、很羨慕他們、因為公立學校雖沒冷氣、但設備卻不錯、因為是政府補助、設備自然很好、但有些公立學校、卻爛到不敢令人領教、

．．很想考上好高中、卻一直不想讀書、也沒辦法下定決心讀書、真是煩得要命！

很矛盾吧！

要怎麼收穫、先那麼栽…

評語

九月三日　第一週　星期：五　天氣：陰

．．今天剛考完模擬考，心情低到谷底，不過誰叫我沒溫習功課呢

．．暑假時，一直都在混，不是看電視、小說就是睡覺，功課也只溫了一些，難怪會考差，

．．我決定以下次模擬考來測量實力，也許，真希望有人能幫我下決心，讓我真的努力用功，好像不太可能，畢竟，我的個性很被動，唉！！

看來妳需要好好被刺激一下。

除非妳自己願意、否則只能被動

學姍白

Sep 6.4

評語

10

九月三日　第一週　星期：五　天氣：陰

：：最近迷上 Phil Collins 的音樂，每天都要聽上好幾遍，而在整卷原聲帶中我喜歡 Two Worlds，You'll be in My Heart，Strangers Like Me 等很多首。

：：這卷原聲帶是 TARZAN 的音樂，另外還有一張 VCD，我看過了一次，其實看起來滿不錯，裡面介紹 TARZAN 的片段以及訪問 Phil Collins 的內容，裡面的幾首歌氣勢磅礴，聽起來很有森林的感覺，好像置身於一座森林，欣賞百鳥鳴唱，猛獸活躍在各處，看牠們咆哮著，似乎看到 TARZAN 奔躍在山林間！

評語

月　日　第　週　星期：　天氣：

喜歡聽歌，很好聽，聽起來很舒服。

讓妳一解讀書的煩悶，

Sep 8th

私立再興高級中學

評語

九月七日 第二週 星期：二 天氣：晴

卿 ||

國文模擬考考卷上有一闕詞「四塊玉」。這首我很喜歡，在以前我在書上看過。它的最後一句「爭什麼」，我認為是最好的一句，念起來輕鬆自在，又有嘲諷別人的意味，全我配服關漢○的才能。

「賢的是他，愚的是我」，這兩句我也很喜歡，又明褒暗貶，天才自痴一線間，又王是這道理。

我很喜歡一些詩詞，短的！，讀起來感覺很好，的確引人省思。

Sep. 8

評語

12

九月八日 第二週 星期：三 天氣：晴

最近新買了一卷CD，是EMMA SHAPPLIN的歌，因為上次和媽借來聽，覺得實在不錯，才決定買。

我喜歡前二首DISCOVERING YOURSELF和CUERPO SIN ALMA，她的聲音很高，聽起來像在雲端唱歌，有很多抖音，像從高空落下的感覺。歌詞也寫得很好，Tommy cries, Daddy lies Everyday they are 這幾句我好喜歡，感覺好像形容一些人，我覺得很有諷刺意味。

Look out now what's coming down with a gun，這句我也很喜歡，和歌名"發現自己"(守護)，好像感覺一直活在困惑，直到有人帶著槍來了。

評語

、、還滿喜歡她唱的歌，歌詞的涵意值得我思考

！多思考，腦袋才會靈活。

Sept. 10

月　日　第　週　星期：　天氣：

評語

九月十日 第二週 星期：五 天氣：晴

13

、、情人眼裡出西施，我現在終於明白這道理。

、、今天我在看小李飛刀，因為只剩最後一集了，禮拜一就完結了。

、、裡面有一個人是荊無命，我非常喜歡他，他並不很帥，嚴格來說應該是普通，但我第一眼就喜歡上他了，他冷酷、心狠手辣又沈默，卻是我最喜歡的類型，他可以說是一個愚忠的人，為了自己主人連命都不要，

、、愈是想就愈喜歡，但這不過是一場美麗的夢，只不過現實世界中，和這種人相處可能會很辛苦吧。

9.11

14

評語

九月 血日　第三週　星期：一　天氣：晴雨

、、、、闇之心、

、、今天山崩地裂、

我渴望血腥的心，

又在蠢蠢欲動。

我想看見血刃、

我渴望握著它—

白刀進、紅刀出。

今天狂風暴雨，

我黑暗的心，

邪惡得美麗；

評語

月 日 第 週 星期： 天氣：

我渴望化為撒旦，
將世界，血染，
那是一片美麗的景色，

今天天搖地動，
我愛上了，慘叫，
那麼悅耳，那麼令我爽快
那是搖籃曲，引我入睡。

嗜血的人，邪惡，
而我是，邪惡的人。

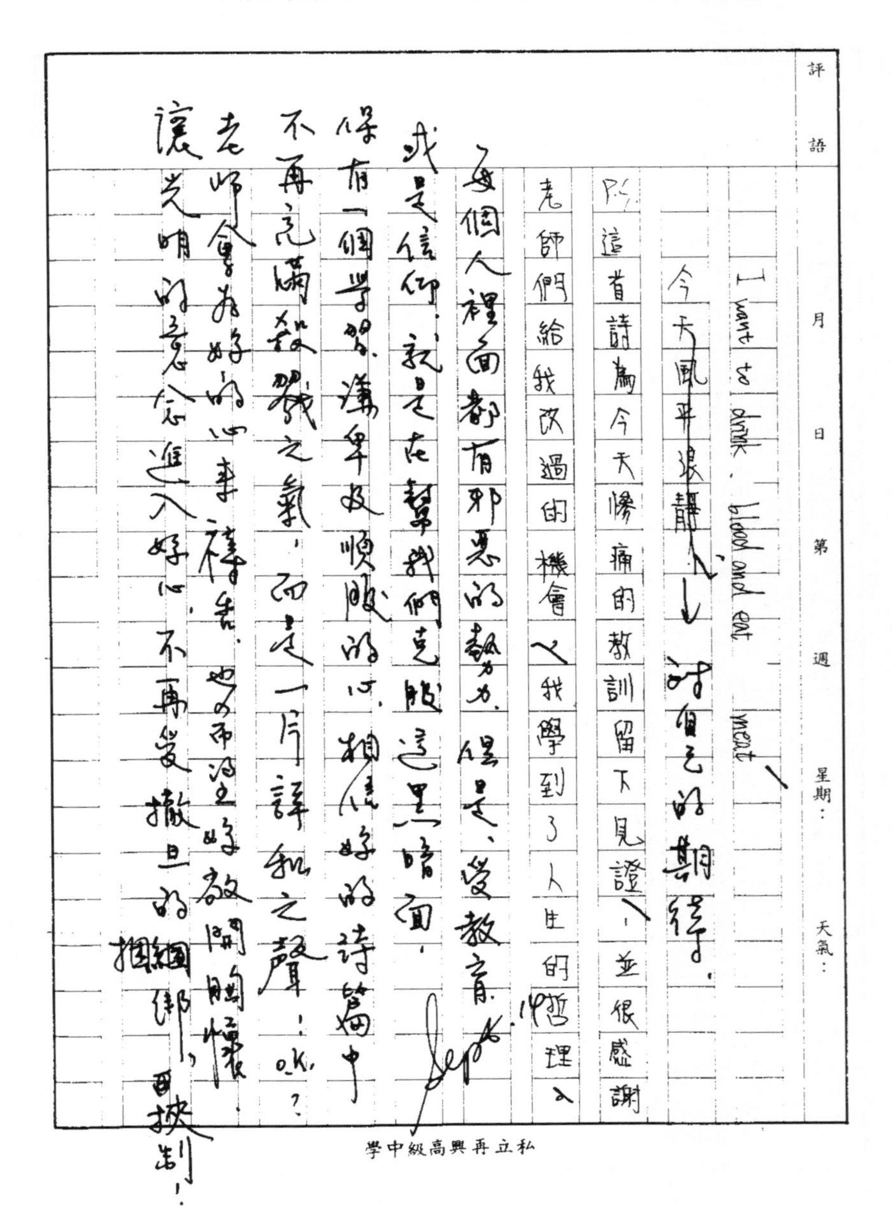

評語

月 日 第 週 星期： 天氣：

I want to drink. blood and eat meat、

今天風平浪靜，對自己的期待。

所以這首詩為今天慘痛的教訓留下見證、並很感謝

老師們給我改過的機會、我學到了人生的哲理、

每個人裡面都有邪惡的勢力，但是、受教育、

或是信仰，就是在幫我們克服這黑暗面，

但有一個學習、溝通順暢的心，相信好的詩篇中

不再充滿殺戮之氣，而是一片詳和之聲！ok？

老師會有好的心來釋看，如何治好敞開胸懷。

讓光明的意念進入好心，不再受撒旦的捆綁，而控制！

Sep 14

私立再興高級中學

評語

15

九月十五日 第三週 星期：二 天氣：晴

。。。

。今天有鋼琴課，但我好久都沒碰琴了，總覺得，有些生疏，

。。望著琴譜的跳躍音符，一個個鮮明的音符在腦中譜出熟悉的音樂，看著已經拋了三個月的曲子，心中泛起漣漪，盼望能快點彈完，

。。鋼琴老師來了，打破我的沈思，熟悉的樂曲自指尖滑了出來，好舒服！！

彈彈琴也是抒解緊張情緒的好方法。

Sep 8-17

評語

16

九月廿日 第三週 星期：五 天氣：晴

寂寞的真諦、

誰來告訴我？、

看著自己的側臉、

心底泛起莫名的愁、

一波一波向外擴散、

感染了誰、

寂寞的真諦、

是誰告訴我、

評語

月 日 第 週

星期：

天氣：

讓我陷入愁緒，
讓我不像，我的年紀，

寂寞的真諦
蕩漾在我腦裡，
水面的漣漪，
一圈一圈擴散，越來越淺
我的愁緒、卻越來越深

寂寞的真諦
充盈在心頭，

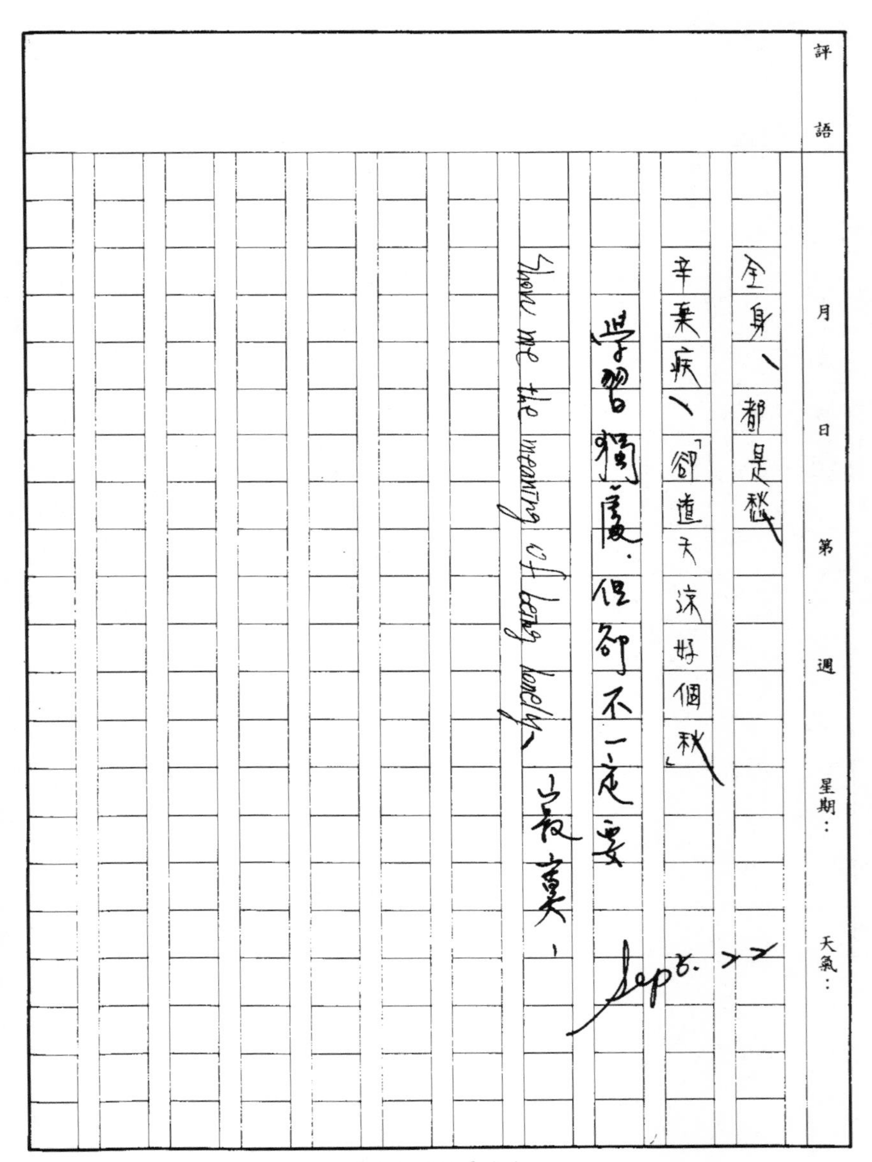
評語

月 日 第 週 星期： 天氣：

全身、都是愁、

辛棄疾、「卻道天涼好個秋」

學習獨處，但卻不一定要

Show me the meaning of being lonely、寂寞、

Sep 6.

私立再興高級中學

評語

17

九月[illegible]日 第四週 星期：四 天氣：晴

、、、九月二十一日的大地震，中部地區死傷慘重，死亡人數已逾二千人，地震真可怕。

那天晚上被驚醒的，隨後感覺地在搖，因為搖了滿久，所以哥起床找手電筒，媽媽幫我開電的，我則倒頭繼續睡，但接下來大有餘震，讓我無法入睡，不過到最後還是睡著了。

第二天起床電就來了，便起床聽廣播，才知道這次地震死傷慘重，尤以中部最嚴重，北部也受到波及，所幸大部分住的都沒事。

地震無法預測，令人防不勝防，真危險！

（批改：是）

對生命應再做思考.

Sept 7

評語

18

九月八日　第五週　星期：二　天氣：晴

我感冒了，前幾天鼻子就怪怪的，鼻水流個不停，而且喉嚨有點痛，都拿一直喝水。衛生紙買了好幾包都用光了，我在想，下次乾脆帶一整包來學校用，省得一直和同學借，這幾天又是區域停電，上課時熱得全身都是汗，回家一吹電扇結果感冒更嚴重了，真討厭生病，雖然精神很好但鼻水流個不停，真是麻煩!!

希望妳早日痊癒。

評語

19

九月三日　第五週　星期：四　天氣：晴

、、、、

、、今天下午因為停電，教室裡有點悶，就跑到外面吹吹風。

。。外面很涼快，和媽聊了一下，就看著天空發呆，今天的天很藍，遠處有一塊雲特別的大，疊了一層又一層，在藍天襯托下顯得特別美，看著雲慢慢移動，沈醉在白日夢中。

。很喜歡看天，覺得好像和天融為一體，把心空出一個小角落，容納著自然的感受，做一個白日夢。

這也是停電的另一收穫、

Oct-8

評語

20

十月六日 第六週 星期：三 天氣：晴

‥‥！

‥考完月考了，第一次月考方三天考，總覺得時間過得好慢，好慢！

‥在考試時只聽到筆尖滑動的聲音，空氣沈重的像凝結似的！重的令人喘不過氣，鬱悶的氣紛結在胸口，揮之不去，心情越來越低沈！

‥白雲從眼前緩緩飄過，樹葉落了下來，在空中盤旋飛舞，所有的動作都放慢，時鐘好像也停下，回味著寧靜的氣氛！

空氣凝滯、代表好的心的感受、

‥時間停止下了，好像替沈重的氣氛畫上句點。

Oct. 8

評語

十月廿日　第七週　星期：　天氣：晴

、、、、

、、禮拜六去逛街順便買書，到誠品去看了好多書，那裡很靜很適合看書，

，，我找到一套不錯的書，在介紹亞里斯多德，伊洛伊德寫，又跑去看金庸小說，書催我動作快些，我們上二樓買文具，我要買珍珠筆，但卻找不到，又好去別家書店。

，，跑到金石堂累得喘呼呼的，又被其它書吸引忘了去找筆，看到介紹埃及文化的書，又不知不覺看了好久，一直到書來找我們，

，，那天逛到腿軟了，好累喔！

多與書為伍，相信妳會獲益良多。

評語

十月十二日 第七週 星期：三 天氣：晴

今天在家看書時，偶然想起一卷好久沒聽的CD，那是Celine Dion唱的to love you more，以前音樂課才藝表演時，兩命就是彈這首歌。

我很喜歡這首歌，我覺得Celine的聲音很厚，而這首歌旋律很流暢，像溪水滑進心中，曼妙在腦裡的旋律，構出的想，和著心中的聲音高歌一曲，澎湃在心中所吸旋律的波浪，縱橫交織成音樂的網，我的思緒，翱翔在藍天中，我的聲音迴蕩在白雲中。

血液流動更急了，腦裡跳躍著音符！

私立再興高級中學

Oct. 19

評語

77

十月十八日　第八週　星期：一　天氣：晴

……

一今天和林的辰借圓桌武士來看，我以前在小學時看過很多次，我認為那是一本不錯的書。

．．書中我最喜歡斯洛士，他是普里他尼國貴族的後裔，他的武藝、禮節、品性都有超人表現，而且為了要亞瑟王不歸趕湯路大，這種善良的人卻被逼得要和自己昔日的朋友作戰，他那種心情我是很能體會的，我認為有很多君王往往因為自己一時的迷惑，而損失了最忠誠的部屬，原本團結的圓桌武士一分為二，就因他聽信讒言。

．．很喜歡這本書，有些騎士我很喜歡了。

有

不雖請了，好的同學他……

這就是騎士的特質、

Oct-19

評語

24

十月二十日 第八週 星期：三 天氣：晴

、、、、

、、今天上課有班聯會候選人來發表政見，總共來了三個，2號顏志凱，3號林容戎，4號陳宗憲，他們的政見我比較了一下，覺得有幾點很像，包括伙食、社團等，真不知投哪個好？

、、前兩年班聯會也有做了一些事，但沒有很大的成效，不過校慶我倒覺得辦得很好，這兩年我所投的人都當上主席，希望這次我也可以找一個真正會辦事的人！

、、我覺得2號感覺不錯，有點想投他一票！

根據自己的想法去判斷。

評語

十月二十一日　第八週　星期：五　天氣：晴

、、、

、、、、

、、又要考模擬考了，到現在我尚未準備好，

、、對於以前的一些科目，我都不怎麼精讀，大

多只要能混過月考就好了，所以到現在差不多都

忘了一乾二淨，而且也不想去看以前課本，因為

都被自己畫得亂七八糟，看了心情實在不怎麼好

、而且還越看越想睡覺，

、．還是很不想讀書，覺得好煩好累，真不知道

該怎麼辦，才能讓我想讀書。

如果要升考，仍是抱此種態度唸書，會很有危險的，先確立目標，跟著複習進度唸，如此自己心平氣和，唸書會是一件不那麼累人的事！

堅持是一種美!!

評語

快成漫畫專家了！

26

十月二十五日 第九週 星期：一 天氣：晴

、、、、

、、細數自己所看過的漫畫，大概有上百種吧，對於一個漫迷這沒什麼了不起，但從旁人眼中看來，也許很瘋狂吧！

、、對於漫畫，有一分無法割捨的感情，畢竟它從我小學就陪著我走到現在，像我的影子一樣，緊隨著我永不分離。對於漫畫不再只是喜它的內容，那是一種心靈的提昇，它陪我走過悲傷、寂寞，快樂，它是撫平我心靈的奇妙感覺。

、、心情有個寄託，對我來說：它佔了我絕大部分的時光，是溫暖了我心的東西，

Oct. 26

評語

十月二七日 第九週 星期：三 天氣：晴

、、、、

、一我們的國文老師是王嘉蕙老師，她的脾氣很好，給人的感覺很好。

、、下課時有時會和她聊天，知道她們以前學了很多詩詞，令我很羨慕，有時會問她一些詞，老師背的詞好多，實在很佩服。

好也可以教詩啊！

、老師有時會講到一些小說，而那些小說很多是我喜歡的，像金庸小說那一類的。

好你們有共同興趣

、從王星芳老師到賀聽老師及王老師，教我們的國文老師都是很好的老師，真的滿高興的。

10.28

私立再興高級中學

評語

十月二九日 第九週 星期：三 天氣：晴

、、、

、前幾天寫功課時，常寫到差點睡著，所以每隔一段時間就要去客廳吃東西，補充體力。ok

，今天想起許久未聽的CD，於是就去找哥借了CD隨身聽，一邊寫功課一邊聽歌，看來聽歌真的很重要，不但可以防止睡著，還可以集中注意力，讓腦子清醒一點。

、決定恢復每天聽CD的習慣，不要因為每次看到課本就想睡覺，功課全都來不及溫習，

適合好自己就好！

○ ok.30

私立再興高級中學

評語

十一月 十五日 第十一週 星期：一 天氣：晴

、、、、

、、今天心情因為不太好，一回家就聽CD，

、、最近從哥哥那借來一卷CD，是X-Japan的歌，他們以前很紅，但現在已經解散了，因為有一個團員自殺，而且死因不明。

、、他們在DISC 2的第六首歌CRUCIFY MY LOVE很好聽，而且裡面鋼琴手彈得非常好，很想去找這首歌的譜來練，歌曲裡貫注了情感，流暢的和弦敲擊著我的心，隨著歌手的歌聲，低哼著歌詞

、、Crucify my love, If my love is blind，迴盪在房間鼓動的聲音，包圍著我……

O.K.

Nov. 15

評語

十一月二十九日　第十四週　星期：一　天氣：晴

明天體育課要上直排輪，我不會溜，滿擔心會出糗的！

昨天有和書去台大練習，我的鞋不好溜，我就用書婷的來練習，溜起來還滿舒服的，

我溜的姿勢不太正確，輪子很容易歪向一邊，所以溜起來不順，但書的鞋子可以調整我腳的動作，所以後來我就一直溜書的。

溜冰還滿好玩的，不過我不喜歡戴護膝，會限制我的行動，這是保護好免於運動傷害。

私立再興高級中學

評語

十月二日　第廿週　星期：四　天氣：晴

．．．

．．最近天氣都很冷，所以衣服也穿得比較多，晚上睡覺蓋著厚被子很舒服，但是第二天醒來就不想起床，因為被子實在太暖了。

．．下午第一節剛睡醒，也是特別累，上課常處於意識朦朧中，腦中一片空白，什麼也聽不到！

．．我很喜歡冬天，因為可以睡得很舒服，但也特別容易賴床，真麻煩的感覺。

好，可真是可值不已呀

評語

十二月 十日 第十五週 星期：五 天氣：晴

終於考完月考了，心裡喘了一口氣，但去看了幾科的分數後，成績都不怎麼好，所以心情也一直很差，加上英文也有幾題粗心錯和一題不知該不該扣分的聽力測驗，心情真差。

晚上在看電視，暫時忘了一肚子的不滿，回房間後又在看歷史小說—三十六計調虎離山，都還維持著愉快的心情。

過不多久就要考模擬考，心頭蒙上一層陰影。

考完本來心情不好，現在就努力耕耘吧！

Dec 13

評語

十二月十六日　第十六週　星期：四　天氣：晴

我是坐公車回家的，因為班上有一小部分的人都和我同車，所以在車上很快樂。

在公車上有一個老女人，大概三、四十幾歲左右，我很討厭她，有一次她坐在椅子上，恰好有一個老人上車，因為她才小學所以並沒有讓坐，那個老女人就開始罵她，真噁心！

她每次都擺著一張臭臉，這是最討厭的地方，好像每個人都欠她什麼似的，這真讓人想把她拖下車，叫她脫光衣服遊街示眾，讓她嚐到被羞辱的滋味是什麼。論想羞辱她的，

這太具報復性了！保持距離以策安全就好。

評語

十二月 廿日 第 十七 週 星期：一 天氣：陰

、、一
一一葡萄牙（將澳門）歸還給中國了一在十九和二十日的交
界點，午夜十二點，雖然現在的葡萄牙已沒落了
，但我仍然希望澳門繼續由葡人管理。
、、昨日法輪功的人員在澳門（的）廣場靜坐，真不知
道他們為什麼要這樣做，雖然大陸不該禁止法輪
功，但挑如此美好的一天來靜坐又有點無聊了（是在無言的抗議吧）
、、以賭場聞名的澳門，不知歸還後，是否和往
昔一樣，依舊維持相同的生活。

Dee 21.

評語

月　日　第　週　星期：六　天氣：晴

今天是西元二千年，迎向一個全新的世紀，心中有種說不出的感覺。

坐在捷運上和書婷聊天，忽然想到一千年後，我到底在哪裡，我是以什麼身分存在這世上，如果真的有輪迴，那我和書婷是否能再見面，一起度過三千年，跟著倒數計時；也許在那時候，會有種熟悉的感覺，好像在一千年前，自己也曾做過同樣的事。我和書婷說了我的想法，我們都陷入思考中，在漫長的一千年之中，我的生命是何等的渺小。

評語

一月十日　第十六週　星期：一　天氣：晴

上星期五，我們初三的全部同學去台中玩，為籃球隊加油，過了很快樂的週末。

中午去科學博物館，裡頭有很多有趣的事物，我們有去看化石、螢光礦物等漂亮的礦石，晚上住在嘯月山莊，我們在那附近舉辦營火晚會，有些人負責烤肉，有些人幫忙將肉片夾在麵包，之後，各班圍著營火坐一下，隨著火光的增高，我們的情緒也高，到最高點，晚上回去休息，我、書各自拿出泡麵泡來吃，班長也拿出零食，媛準備牌，阿嬌去洗澡，等她洗完後，我、書和嬌

評語

張　的

先玩一場「大老二」，阿姨也來和我們玩抓鬼牌，心臟病，我們還在看冰刀比賽，累了就休息一下，

第二天七點多被叫醒，

，台灣民俗村滿好玩的，我們看到了牛，買龍鬚糖來吃，還去打鼓，然後去玩遊樂設施，弄得一身溼溼，頭昏昏的，不過玩得非常開心，

、下午去幫籃球隊加油，到了第四節末，我們情緒高漲，在那邊亂吼亂叫，使籃球隊不負眾望，打敗松山，真是高興。

、這兩天行程真是非常快樂，有些意猶未盡的感覺。

月　日　第　週　星期：　天氣：

評語

一月十二日　第二週　星期：二　天氣：晴

我想飛上青天，
想長一雙純白的翅膀，
乘風飛翔。
我想飛上藍天，
乘著黃鶴，化為仙人，
乘著鳳凰，夢想在瑤池見到西王母
乘著鴻鵠，向我的夢想飛去。
我有雙翅膀，羽翼未豐，

評語

我還不能自由的飛，
只在空中學習滑行，
我想飛向朝陽人
讓它的光芒照耀我，
我想飛向月亮，
讓它的光芒洗滌我，
讓我自己的翅膀如碧玉。
待羽翼豐滿，便能乘風飛翔。

月 日 第 週 星期： 天氣：

評語

一月十七日 第二十一週 星期：一 天氣：陰

記得小時候學得第一首唐詩是涼州詞，很喜歡這首詩，雖然它真正的含義那時我還不明白，到了長大一些，再次去看到它時，對於詩中無奈的感覺，多少有點明白，從歷史書上看來，所有朝代間的更換，都是流血流淚的。

在白玉杯盛滿葡萄酒，那鮮紅的顏色是多麼耀眼，壯士的熱血灑在戰場上和那酒的色彩多麼像。古人面對著戰爭，他們的心情，太沈了。凄美

「葡萄美酒夜光杯，欲飲琵琶馬上催。醉臥沙場君莫笑，古來征戰幾人回？」—王翰涼州詞

評語

月 二十 日　第 二十 週　星期：四　天氣：陰

、、、

、、、、

、、今天寫完功課後，在看費曼的「What do you care what other people think.」

他是一個很特別的科學家，從小他的父親就舉很多例子來教他認識很多事物，他也很幽默，而他的太太－阿琳也常捉弄人，不知道她如何做到的，在費曼生日時，羅沙拉摩斯每人的信箱出現一分報紙，頭版寫著「全國熱烈慶祝費曼生辰」，雖然她在五年後死於結核，本書後半在介紹美國「挑戰者號」太空梭，我很多看不懂，打算有空再仔細看一定，

相信好的求知欲已被建立起來，這是有益的事。

第十一章
最後能拿筆寫字的小朋友㈡：陳佳莉

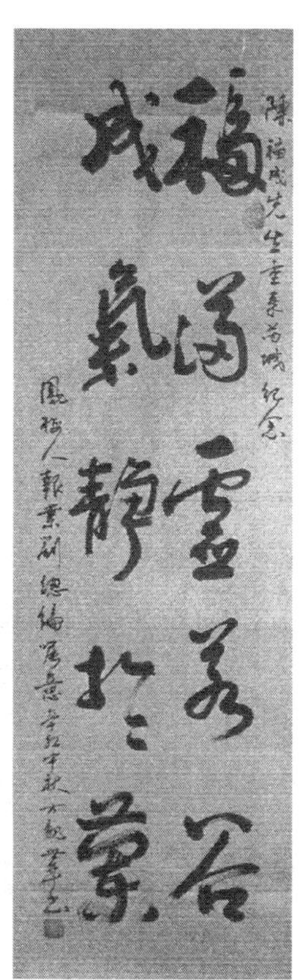

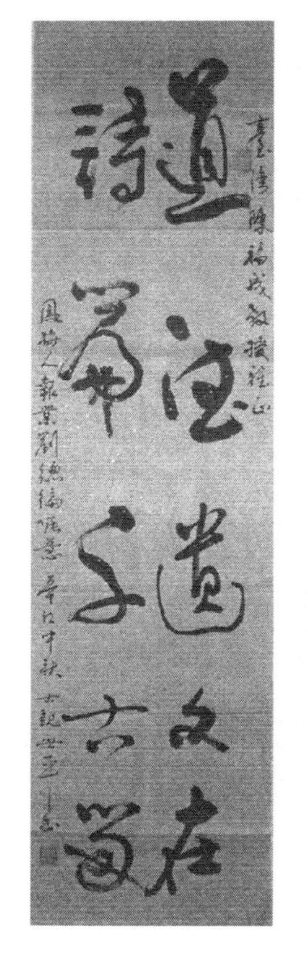

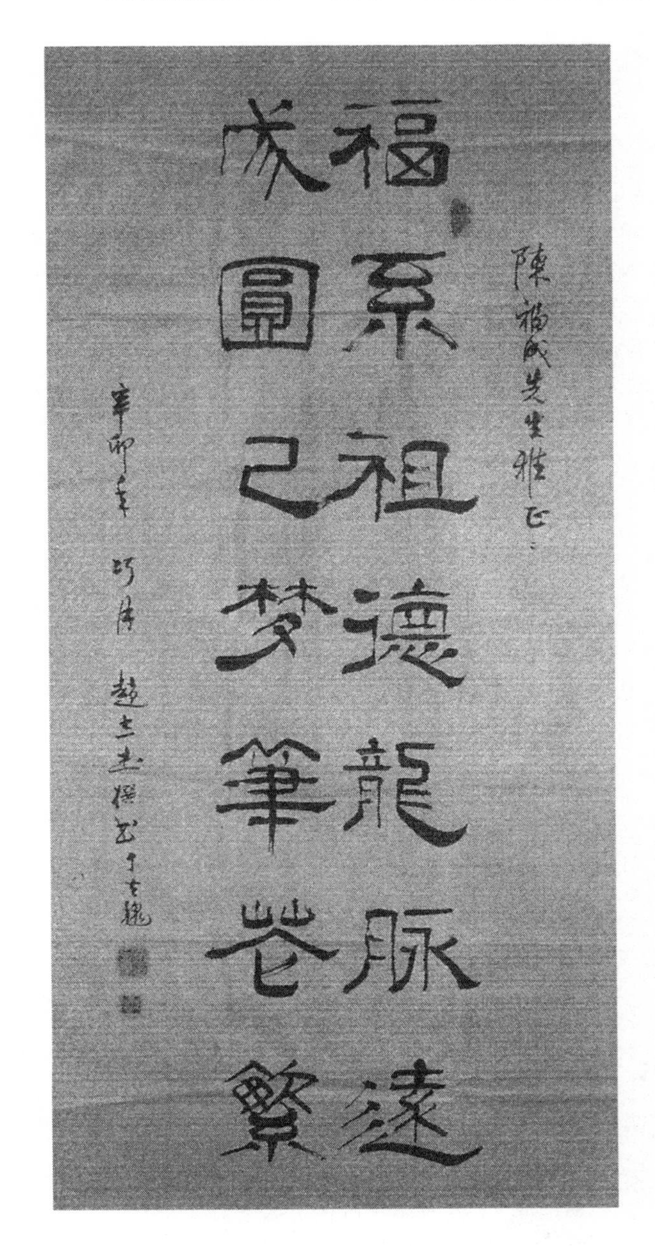
陳福成先生雅正
福系祖德龍脈遠
成圓己夢筆卷繁
辛卯年

批閱日期　月　日　成績

評語

2月15日　第一週　星期二　天氣：晴

開學後的心願

開學的第二天，大家都己經習慣學校的生活，同學們也聊得很開心，各個股長也非常盡心盡力。

五年級下學期的開始要比上一學期更好，更棒，所以我必須

私立再興小學

批閱日期 月 日 成績

評語

月 日 第 週 星期 天氣

專心聽講、全神貫注，努力用功。才是重點，這樣才能讓成績進步。我的目標是前10名，可是一向數學很爛的我，要克服數學的問題，可真點難呢！可是我一定要考九十分，給每個人看，證明我數學有進步

私立再興小學

批閱日期 月2 日16 成績 90

評語

月 日 第 週 星期 天氣：

我這個學期了不~~甘~~要懶懶散散，我要向成績好的人學習，學習他們上課認真的態度，我一定用好好努力。

，蹉跎，老師常常告訴我們要珍惜時間，不是輕易的蹉跎了生命

私立再興小學

評語

2月16日 第一週 星期三 天氣：晴

上鋼琴課的感覺

從小媽媽就陪養我學鋼琴，而我開始喜歡上音樂，過程中，非常的艱難，現在我終於有了一點程度，老師也非常認真教我，雖然有點嚴格，可是我還是克服了困難。

批閱日期　月　日　成績

評語

月　日　第　週　星期　天氣：

從三、四開始，我不在有上鋼琴課時那燦爛的笑容，我漸漸討厭上鋼琴課，我卻悶在心裡，不讓任何人知道，可是我也不想放棄。從小陪伴我的鋼琴，我必須要跟它（說）再見，因為我怕升國中時課業太忙碌，沒時間練鋼琴。

批閱日期　2 月 17 日　成績 86

評語

月　日　第　週　星期　天氣：

我想心中的情緒非常的複雜，很想上鋼琴課，又不想上，我認為我不應該悶在心裡，要跟老師談談，以免會越來越逃避現實。

△大不了一商人推銷的異晶電視，跟普通的電視沒什麼大不了。

調好心態找媽媽談！

批閱日期 月 日 完成

評語

2月17日 第一週 星期四 天氣：雨

上英文課

今天上英文課，要演講寒假找的文章，昨天晚上，臨時抱佛腳，趕快練習，可是到後面幾的段落忽忘記了，非常怕會有問題。

到了，今天下午，我非常的擔心，可是在唸的時候，好像不會

私立再興小學

批閱日期　月　日　成績

評語

月　日　第　週　星期　天氣：

太緊張，雖然當初沒有發現到我
沒有恐懼感，感覺很輕鬆。令人頭
痛的事情終於來臨，方攸元竟然
提拔我參加朗讀比賽初賽，雖然
是件好事，可是還要整篇文章背
不來，等於是叫苦工喔！我非常
不想參加比賽，我怕我出差錯

批閱日期 2 月 18 日 成績 85

評語

月 日 第 週 星期 天氣：

我對英文沒什麼興趣，可是我又怕老師說我，我完全沒有興趣。

△姑待－你不能老是姑待別人幫你，這樣是不會有進步的。

有能力多付出些！

私立再興小學

批閱日期　月　日　成績

評語

2月19日　第一週　星期六　天氣：雨

真愛格言

「男孩女孩一樣好」在以前社會中是不可能的，在大人的思考中是重男輕女的關念，現在已經打破了刻版印象，是兩性平等的時代。

為什麼我要寫男孩女孩一樣

私立再興小學

成績　84　　　日　7　月　2　　　批閱日期

評語：

月　日　第　週　星期　天氣：

好呢？那是要送給兩性不平等的家庭，丈夫喜歡男孩，妻子喜歡女孩。這樣的爭吵會使家庭分裂。所以，不管是男是女都是父母的心肝寶貝

批閱日期　月　日　成績

評語

2月21日　第二週　星期一　天氣：雨

下雨天

最近這幾天天氣寒冷、而且還下雨，每天都要撐雨傘，穿很厚的衣服，真不方便。

下雨天地面溼滑，天空很暗，我最討厭下雨天。下雨天很麻煩吧！開車、上學都不方便，下

批閱日期　月　日　成績

評語

月　日　第　週　星期　天氣：

雨天，爸爸每天都在風雨當中來接我，很辛苦、還有，監護老師也要在下雨天站崗，也很辛苦，在下雨天，做任何事都很麻煩。

下雨天，很麻煩，我希望去天爺來不要每天下雨，這樣做事非常麻煩，下雨天是我最討厭的

私立再興小學

84

批閱日期　月 22 日 22　成績

評語

月　日　第　週　星期　天氣：

天氣，希望每天都是大晴天。

惦念－爸爸到南部工作，不能常常在家，但（他）心中還是惦念著家裡的一切。

觀察希望細微！

私立再興小學

批閱日期　月　日　成績

評語

2月22日　第二週　星期二　天氣：陰雨

明天的活動

明天是元宵節，小朋友們一定會去提燈籠，吃著湯圓，很溫暖、很舒服。

這次的燈會在高雄，活動很熱鬧，應該有可愛的燈籠、趣味的猜燈。雖然元宵的那天很寒冷

批閱日期　月　日　成績

評語

月　日　第　週　星期　天氣：

，可是大家的熱誠和心意，化成溫
暖的光，使大家不受寒冷侵蝕。
剛剛，看新聞總統要發表演說，
當然，一年一度的元宵節嘛！明
天的活動一定很熱鬧，有些人去
看花燈，有些人在家吃元宵、猜
燈謎，有些人去提燈籠，活動很

批閱日期　2　月　23　日　成績　83

評語

月　日　第　週　星期　天氣：

多，那你會去哪呢！

明天是元宵節，希望大家玩得很高興，也別忘了做功課喔！

焦慮」小明明天要參加鋼琴比賽。可是他還沒練習好，心裡十分的焦慮、緊張。

私立再興小學

批閱日期　月　日　成績

評語

2月23日　第二週　星期三　天氣：陰

我的夢想

我的夢想是我喜歡的科目音樂家，我想把快樂的音樂傳到世界各地來分享。

在世界來回演出，讓大家享受音樂的美妙，我想讓世界更美妙，彈奏出美妙的音樂、唱出快

批閱日期　月　日　成績

評語

月　日　第　週　星期　天氣：

樂的旅律、拉出如黃、出谷的美
妙、吹奏著小精靈們的歡樂聲。
還有打出活潑的節奏、這是我想
當音樂家貢獻、我想讓人們有歡
笑、快樂。

我的夢想使我現在打好地基、
。使未來能朝這個目標向前努力、

私立再興小學

批閱日期 2 月 24 日　成績

評語

月　日　第　週　星期　天氣：

。夢想不是自己等來的，要以他努力，抱持這個夢想向前進。只要努力再努力，沒有什麼事難不倒你的。

私立再興小學

批閱日期 月 日 成績

評語

2月27日 第三週 星期日 天氣 雨

不好的事情

決賽的日子快要到了，我們都很努力的練習，開學後的第一次練習，老師說了不好的事情，勸大家用平常心來面對。

這次比賽地點桃園，因為這

要的原因，也可能會導致我們不

批閱日期　月　日　成績

評語

月　日　第　週　星期　天氣：

能參加比賽，令人難過的事，鐘老師的肺裡長一小顆瘤，如果是良性鐘老師就可以跟我們去比賽，如果是惡性鐘老師就必須辭職，離開我們，禮拜五，鄒老師跟我們講，她已經快要哭了，我的心中非常傷心，難過，我不想鐘老師

批閱日期　1 月 3 日　成績 85

評語

月　日　第　週　星期　天氣：

離開我們，我希望鐘老師能趕快康復。跟我們一起上課。決賽快要到了。我希望鐘老師能跟我們去比賽，也祝鐘老師早日康復。

你們更要努力練習！

批閱日期　月　日　成績

評語

3月1日　第三週　星期二　天氣：雨

自然小老師

在學校我擔任民政股長、自然小老師，在以前我是常常遲交關於自然的東西，可是是老師把這個小老師的工作交給了我，我真的很高興，我一定會努力做這個工作。

私立再興小學

批閱日期 月 日 成績

評語

月 日 第 週 星期 天氣：

當自然小老師非常愉快、老師會跟我們聊天、工作上也不會有任何壓力、如果我要去練合唱團、我可以交給宋修慈、金廷恩來幫我、他們都是我信任的好朋友。有時在心裡為吳老師打抱不平、因為（那些）愛講話份子時常惹吳老

私立再興小學

批閱日期　月　日　成績

評語：

月　日　第　週　星期　天氣：

師生氣，每一個科任老師幾乎都不是開心的走出去，都氣呼呼的回去。我真想能解決那些問題，讓班上更好。

我是自然小老師，應該更盡責、更負責。我也希望能幫吳老師的忙，減清他身上的負擔。老師更

私立再興小學

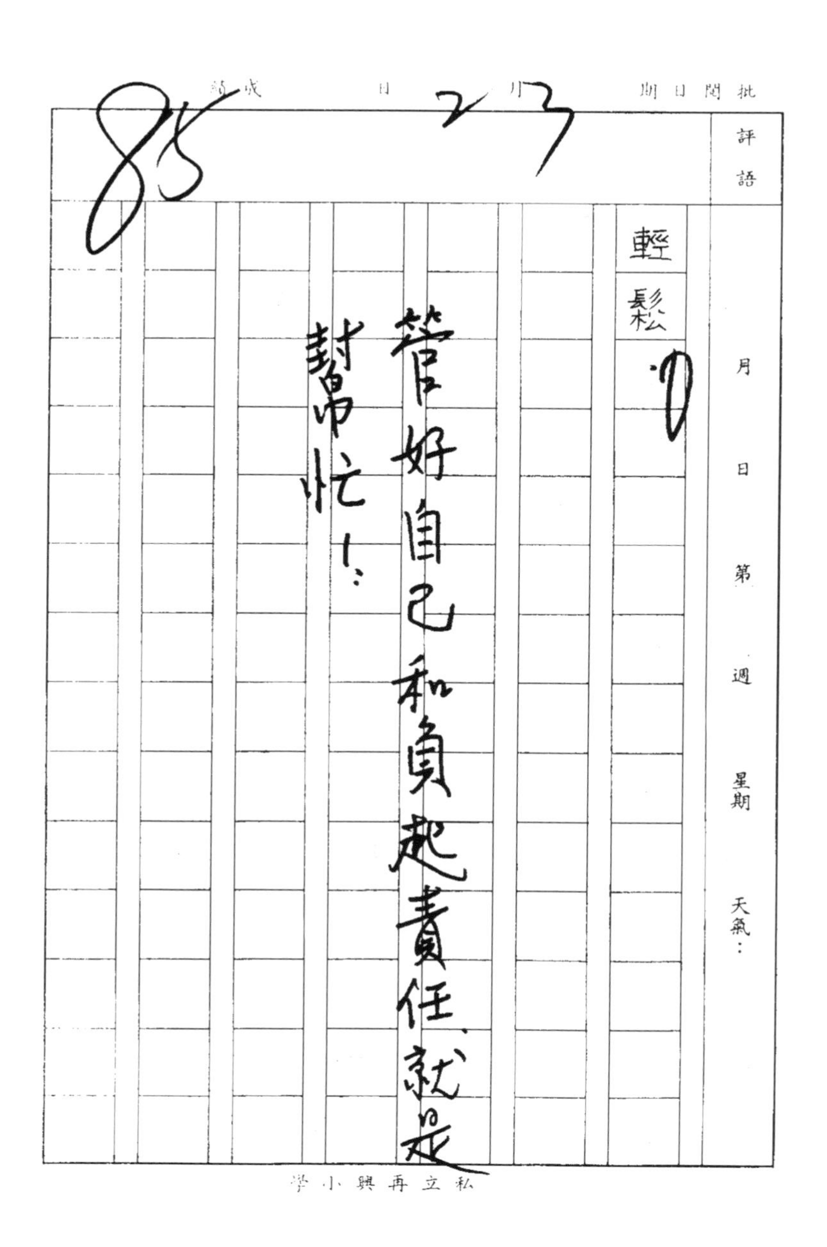

批閱日期　2 月 7 日　成績 85

評語

月　日　第　週　星期　天氣：

輕鬆

管好自己和負起責任，就是

幫忙！

私立再興小學

批閱日期　月　日　成績

評語

3月2日　第三週　星期三　天氣：雨

電腦課

每個禮拜三我最愛電腦課，可以學很多電腦的知識，而且平時也很愛打電腦、上網，所以電腦課是我的最愛

今天電腦課老師要我們做功課表。講了半節課。才讓我們開

批閱日期　月　日　成績

評語

月　日　第　週　星期　天氣：

始做、自己做的功課表、。一定會很實用、很珍惜它。、有些人有跑來問我問題。、我也幫他們解決問題。、互相幫助、。還有今天中打練習。、我一分鐘可以打二十六個字、。進步2個字呢！、我好高興、。電腦又進步了、我喜歡電腦課、。因

私立再興小學

批閱日期　月　日　成績

評語

月　日　第　週　星期　天氣：

為電腦課非常有趣、好玩，而且學會電腦，可以做很多事情喔！

電腦是我最擅長的科目，因為、我平常常常用電腦，因為報告都是它的功勞。

私立再興小學

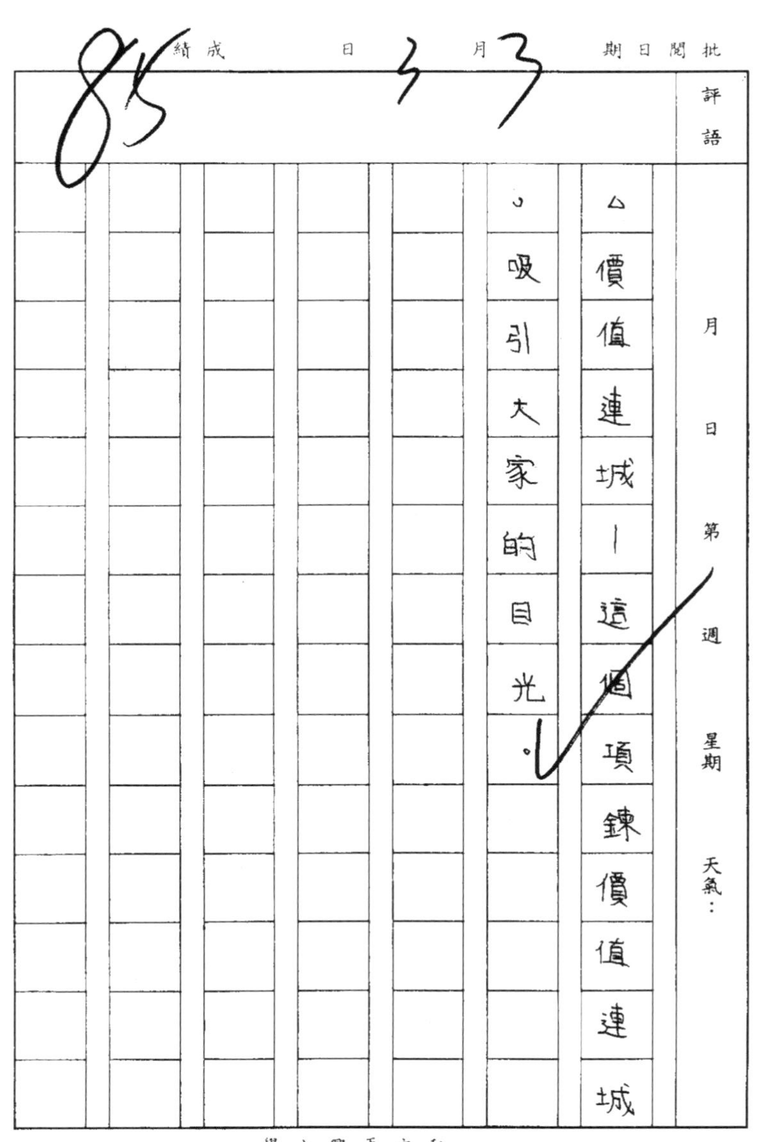
批閱日期
月
日
成績
85
3
3
評語
月
日
第
週
星期
天氣：
ㄙ價值連城－這個項鍊價值連城
。吸引大家的目光。
私立再興小學

批閱日期　月　日　成績

評語

3月3日　第二週　星期四　天氣：雨

我的好朋友

過了一個學期大家都成為好朋友，大家一起聊天，一起玩樂，我也交到不少的朋友，其中羅方吾、唐欣儀、陳昱安……等。很多好朋友。

羅方吾功課很好，字也很漂

私立再興小學

批閱日期　月　日　成績

評語

月　日　第　週　星期　天氣：

亮、美勞、英文各科都很厲害，別說唐欣儀了，各科都名列前茅。上課又很專心聽講，每次都是拿第一名，陳昱安數學、音樂、英文都很厲害，跟我一樣是合唱團的，所以就成了好朋友，每個女生都是我的朋友。

私立再興小學

批閱日期　月　日　成績

評語

月　日　第　週　星期　天氣：

我們班的男生不是暴力。就很囉唆。很煩。以前三、四年級時。我常和男生在一起玩。聊關於卡通的事情。每次跟他們真的好過癮喔、我真的不希望分班。因為朋友分離了。可是現在也交到不少的朋友。

批閱日期　3 月 3 日　成績 85

評語

月　日　第　週　星期　天氣：

好朋友真的很重要，沒有了朋友，就可能~~沒有一生~~在生活上沒有色彩，我希望我能交更多的朋友。

△高枕無憂—只要通過音樂的檢定考試，我這暑假就可以高枕無憂了。

批閱日期　月　日　成績

評語

3月7日　第四週　星期一　天氣：晴

週考

禮拜四就要週考，自修、評
量、測驗卷通通都出現在眼前，八
家長們一直盯著孩子們的一舉一
動，擔心他們應某件事物而分心
，所以，孩子們當然也非常用心
看書，不辜負父母的期望。

私立再興小學

批閱日期 月 日 成績

評語

月 日 第 週 星期 天氣：

週考完就要考月考，這是大家都知道的事。一到這時候，家長們一直給孩子壓力，給孩子一大堆的補習，這已經是家常便飯了，你是否有同感呢？應該有吧！在小學時期，父母當然希望你成績很好，而鼓勵你！週考、月

私立再興小學

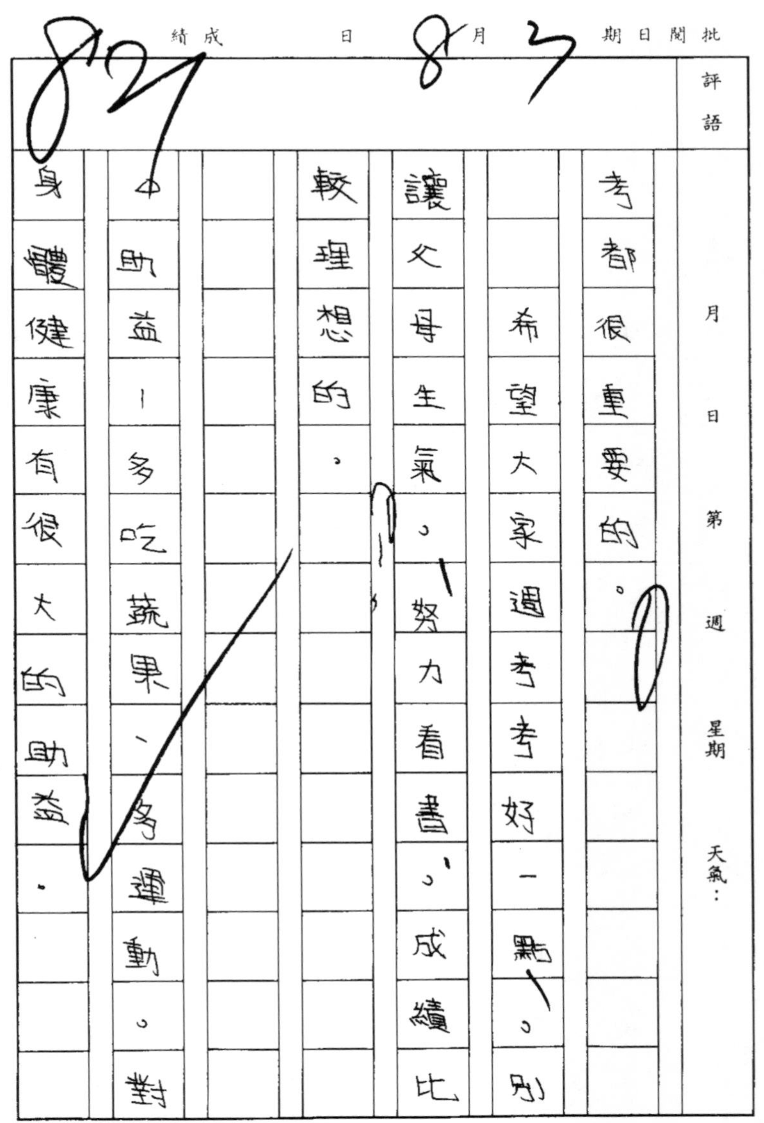
批閱日期　8 月 3 日　成績 82

評語

月　日　第　週　星期　天氣：

考都很重要的。
希望大家週考考好一點，別
讓父母生氣。努力看書，成績比
較理想的。

中助益，多吃蔬果、多運動。對
身體健康有很大的助益。

私立再興小學

批閱日期 月 日 成績

評語

3月8日 第四週 星期二 天氣：晴

班上我最討厭的人

昨天，我和朱浩德換位子，一想到後面是孫繼康，就一肚子的氣，而且他像是流氓，大吼大叫，該怎麼形容呢？應該就是「惡名昭彰」。

還好，今天老師把孫繼康移

私立再興小學

批閱日期 月 日 成績

評語

月 日 第 週 星期 天氣：

到最後面。我想吳睿芝。可倒楣了。今天下午。孫繼康用立可白圖她的椅子。害她沾到。有時候還會丟紙屑。孫繼康的惡作劇行為。真讓人生氣。

古人說：「善有善報。惡有惡報。如果你現在不悔改。長

批閱日期　3月　9日　成績　85

評語

月　日　第　週　星期　天氣：

大以後沒人讓你有工作做、每天閒閒沒事、我也希望他能變好、可是他一犯再犯、老師勸他他都不聽、同學勸他他也不聽、我想他應該會悔改、做個人見人愛的好孩子

我希望全班用冷凍方式對他。

私立再興小學

批閱日期　月　日　成績

評語

3月10日 第四週 星期四 天氣：晴雨

英文課的下課

上完英文課我和宋修慈跑到五樓看風景，散散心，正和遇到我的好朋友——陳晏豪，順便跟他聊天，使心情變得更好。

：陳晏豪是一位男生，運動萬能，眉清目秀，是女生們的「白

批閱日期　　月　　日　　成績

評語

月　日　第　週　星期　天氣：

馬王子」，以前四年級有位女生喜歡他，那件事太家都知道，五上的時候就分了，陳晏豪是一位非常有風度的男生，他是我欣賞的對象，所以這節課令我非常的難忘，因為能見到好朋友！真是棒極了！

私立再興小學

批閱日期　11 月 3 日　成績 82

評語

月　日　第　週　星期　天氣：

　　有時候大家都把欣賞和喜歡搞錯了，欣賞男生或女生是很正常，只是大家都想錯了，這節課的下課，令我非常的意外，因為我了解了許多知識，是意外的收穫。

私立再興小學

批閱日期　月　日　成績

評語

3月13日　第五週　星期日　天氣：陰

感冒

最近有許多流行性感冒、所以不要去那些公共場所。星期六的時候頭痛非常的厲害。還有咳嗽，今天早上去看醫生。我的病情也好轉。

我最討厭感冒。因為要去醫

私立再興小學

批閱日期　月　日　成績

評語

月　日　第　週　星期　天氣：

院，醫院感覺讓人非常不舒服，我真覺得那些醫生非常的偉大，因為要跟一些病患溝通，如果手術不成功或被醫死，醫生就會很倒楣。、感冒、身體不舒服的時候。醫生給我們的最好良藥。他可以讓感冒恢復了，醫生好像施了魔

（批改：會讓身體復原）

批閱日期　3 月 14 日　成績 81

評語

月　日　第　週　星期　天氣：

法，會讓壞變成好，我的感冒醫生治好的，醫生真的是非常了不起。

最近有許多傳染病毒，所以大家要小心不要被病毒傳染，因為還要跑一趟醫院多麻煩。

批閱日期 月 日 成績

評語

3月14日 第五週 星期一 天氣：陰晴

數學週考

禮拜三要週考，因為我最近發燒，沒辦法專心讀書，今天早上燒到三十八度，頭痛很嚴重，把四點半看成六點半。宋修慈也鼓勵我趕快好起來。

媽媽以平常心來面對，她改

私立再興小學

批閱日期　月　日　成績

評語

月　日　第　週　星期　天氣：

我的評量，覺得我已經比較細心，她還告訴加法要加對，乖錯、除錯，題目要仔細，而且因為時間太短，而無法專心思考。我聽了這一番話讓我內心燃起火花。我要讓後天的週考考得很好，不要辜負媽媽的期望。

批閱日期 3 月 15 日 成績 82

評語

月 日 第 週 星期 天氣：

數學週考我一定要努力再努力、不讓媽媽失望、我要克服這個困難、讓數學的成績更好、讓我的數學能像那些同學一樣好。

批閱日期　月　日　成績

評語

月　日　第　週　星期　天氣：

粗心大意的後果

今天數學週考我太粗心，竟然把二十六點六七L寫成「二百六十六點七L」，太粗心。答寫錯，算式沒寫錯，被扣了六分，分數就這樣飛走了。

八十八分算不好的，我因為

批閱日期　月　日　成績

評語

月　日　第　週　星期　天氣：

粗心而那麼低，原本應該可以九十七分，計算題的一個答案是四千三百三十六，寫成六千三百三十六，多粗心啊！所以考試時要檢查。只因為一時的疏忽。讓考試的分數悄悄的飛走了

我下次不敢再粗心、。粗心大

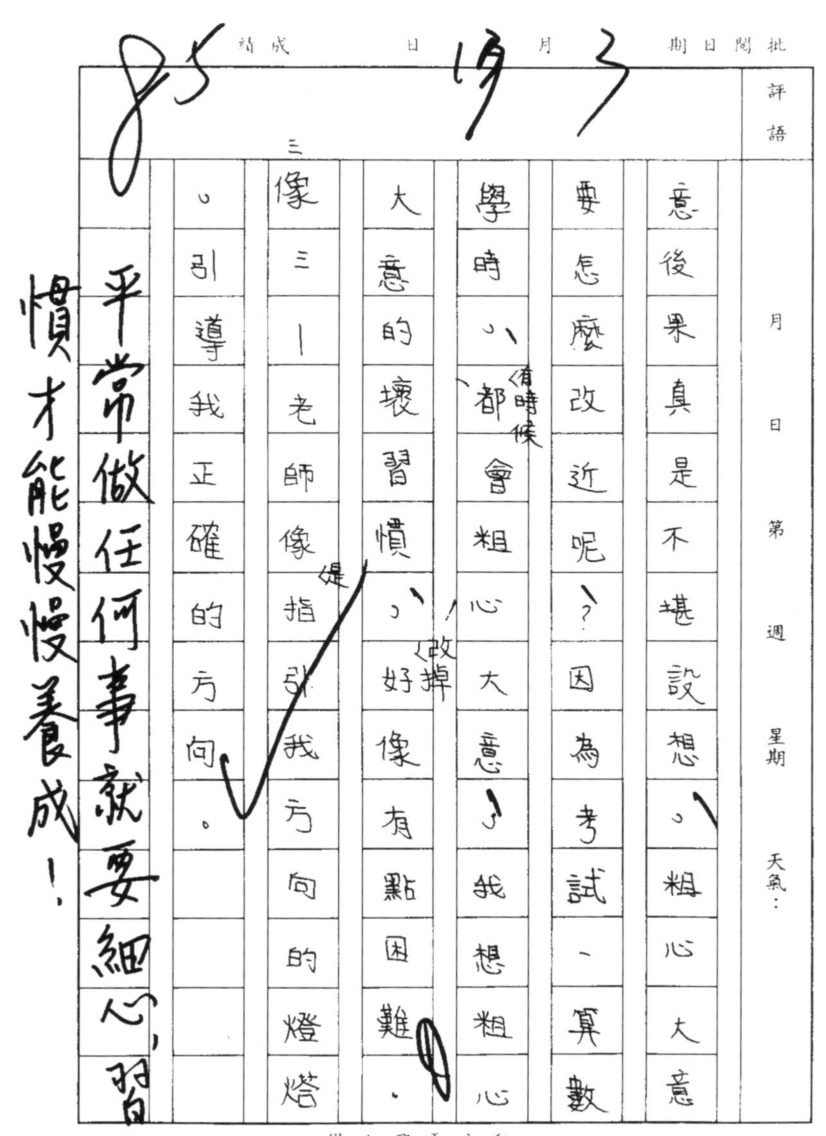

批閱日期 7 月 10 日　成績 85

評語

月　日　第　週　星期　天氣：

意後果真是不堪設想、粗心大意
要怎麼改近呢？因為考試、算數
學時、（有時候）都會粗心大意，我想粗心
大意的壞習慣、（改掉）好像有點困難．
（三）像三一老師像（是）指引我方向的燈塔
、引導我正確的方向。

平常做任何事就要細心，習慣才能慢慢養成！

私立再興小學

批閱日期　月　日　成績

評語

3月17日　第五週　星期四　天氣：晴

我最喜歡的作家

我最喜歡的作家是羅琳，為什麼我會喜歡呢？羅琳寫的書非常生動活潑，內容非常驚險刺激。她最有名的著作，就是「哈利波特」。

哈利波特這套書轟動全世界

批閱日期　月　日　成績

評語

月　日　第　週　星期　天氣：

。而且深受大家的好評。羅琳現在還是繼續寫著哈利波特，他為世界添加了許多歡樂的氣氛，他寫的每一本書都是小朋友的最愛。每一本書中寫著精彩的冒險故事，而且她的想像力讓故事更加生動，魔法世界、魔咒，還有很

批閱日期　月　日　成績 85

評語

月　日　第　週　星期　天氣：

多我們想不到的事物。

羅琳豐富的想像力、使每一

本書、每一篇文章。都有很多非

常奧妙的事物、羅琳用她那雙

萬能的手、打造出她的輝煌燦爛

的人生。也創造了充滿書中世界

的氣氛。

陳福成著作全編總目

壹、兩岸關係

①決戰閏八月
②防衛大台灣
③解開兩岸十大弔詭
④大陸政策與兩岸關係

貳、國家安全

⑤國家安全與情治機關的弔詭
⑥國家安全與戰略關係
⑦國家安全論壇。

參、中國學四部曲

⑧中國歷代戰爭新詮
⑨中國近代黨派發展研究新詮
⑩中國政治思想新詮
⑪中國四大兵法家新詮：孫子、吳起、孫臏、孔明

肆、歷史、人類、文化、宗教、會黨

⑫神劍與屠刀
⑬中國神譜
⑭天帝教的中華文化意涵
⑮奴婢妾匪到革命家之路：復興廣播電台謝雪紅訪講錄
⑯洪門、青幫與哥老會研究

伍、詩〈現代詩、傳統詩〉、文學

⑰幻夢花開一江山
⑱赤縣行腳・神州心旅
⑲「外公」與「外婆」的詩
⑳尋找一座山
㉑春秋記實
㉒性情世界
㉓春秋詩選
㉔八方風雲性情世界
㉕古晟的誕生
㉖把腳印典藏在雲端
㉗從魯迅文學醫人魂救國魂說起
㉘六十後詩雜記詩集

陸、現代詩（詩人、詩社）研究

㉙三月詩會研究
㉚我們的春秋大業：三月詩會二十年別集
㉛中國當代平民詩人王學忠
㉜讀詩稗記
㉝嚴謹與浪漫之間
㉞一信詩學研究：解剖一隻九頭詩鵠
㉟囚徒
㊱胡爾泰現代詩臆說
㊲王學忠籲天詩錄

柒、春秋典型人物研究、遊記

㊳山西芮城劉焦智「鳳梅人」報研究
㊴在「鳳梅人」小橋上

㊵我所知道的孫大公
㊶為中華民族的生存發展進百書疏
㊷金秋六人行
㊸漸凍勇士陳宏

捌、小說、翻譯小說

㊹迷情・奇謀・輪迴、
㊺愛倫坡恐怖推理小說

玖、散文、論文、雜記、詩遊記、人生小品

㊻一個軍校生的台大閒情
㊼古道・秋風・瘦筆
㊽頓悟學習
㊾春秋正義
㊿公主與王子的夢幻、
(51)洄游的鮭魚
(52)男人和女人的情話真話
(53)台灣邊陲之美
(54)最自在的彩霞
(55)梁又平事件後

拾、回憶錄體

(56)五十不惑
(57)我的革命檔案
(58)台大教官興衰錄
(59)迷航記、
(60)最後一代書寫的身影
(61)我這輩子幹了什麼好事
(62)那些年我們是這樣寫情書的
(63)那些年我們是這樣談戀愛的
(64)台灣大學退休人員聯誼會第九屆理事長記實

拾壹、兵學、戰爭

(65)孫子實戰經驗研究
(66)第四波戰爭開山鼻祖賓拉登

拾貳、政治研究

(67)政治學方法論概說
(68)西洋政治思想史概述
(69)中國全民民主統一會北京行
(70)尋找理想國：中國式民主政治研究要綱

拾參、中國命運、喚醒國魂

(71)大浩劫後：日本 311 天譴說
日本問題的終極處理

拾肆、地方誌、地區研究

(72)台大逸仙學會
(73)台北公館台大地區考古・導覽
(74)台中開發史
(75)台北的前世今生
(76)台北公館地區開發史

拾伍、其他

(77)英文單字研究
(78)與君賞玩天地寬（文友評論）
(79)非常傳銷學
(80)新領導與管理實務

拾陸：2015 年 9 月後新著

編號	書　　名	出版社	出版時間	定價	字數（萬）	內容性質
81	一隻菜鳥的學佛初認識	文史哲	2015.09	460	12	學佛心得
82	海青青的天空	文史哲	2015.09	250	6	現代詩評
83	為播詩種與莊雲惠詩作初探	文史哲	2015.11	280	7	童詩、現代詩評
84	世界洪門歷史文化協會論壇	文史哲	2015.12	280	6	洪門研究
85	三黨搞統一 ── 解剖共產黨、國民黨、民進黨怎樣搞統一	文史哲	2016.03	420	11	政治評論
86	緣來艱辛非尋常 ── 賞讀范揚松仿古體詩稿	文史哲	2016.05	400	9	古體詩析評
87	大兵法家范蠡研究 ── 商聖財神陶朱公傳奇	文史哲	2016.06	280	8	歷史人物研究
88	典藏斷滅的文明：最後一代書寫身影的告別紀念	文史哲	2016.08	450	10	各種手稿
89	葉莎現代詩研究欣賞	文史哲	2016.08	220	6	現代詩評
90						
91						
92						
93						
94						
95						
96						
97						
98						
99						
100						

國防通識課程及其它著編作品

（各級學校教科書）

編號	書　　名	出版社	教育部審定
1	國家安全概論（大學院校用）	幼　獅	民國 86 年
2	國家安全概述（高中職、專科用）	幼　獅	民國 86 年
3	國家安全概論（台灣大學專用書）	台　大	（臺大不送審）
4	軍事研究（大專院校用）	全　華	民國 95 年
5	國防通識（第一冊、高中學生用）	龍　騰	民國 94 年課程要綱
6	國防通識（第二冊、高中學生用）	龍　騰	同
7	國防通識（第三冊、高中學生用）	龍　騰	同
8	國防通識（第四冊、高中學生用）	龍　騰	同
9	國防通識（第一冊、教師專用）	龍　騰	同
10	國防通識（第二冊、教師專用）	龍　騰	同
11	國防通識（第三冊、教師專用）	龍　騰	同
12	國防通識（第四冊、教師專用）	龍　騰	同
13	臺灣大學退休人員聯誼會會務通訊	文史哲	
14	把腳印典藏在雲端：三月詩會詩人手稿詩	文史哲	
15	留住末代書寫的身影：三月詩會詩人往來書簡殘存集	文史哲	
16	三世因緣：書畫芳香幾世情	文史哲	

注：以上除編號 4，餘均非賣品，編號 4 至 12 均合著。

編號 13 定價一千元。